«i grandi» tea

Massimo Gramellini

L'ultima riga delle favole

Romanzo

Per informazioni sulle novità
del Gruppo editoriale Mauri Spagnol visita:
www.illibraio.it
www.infinitestorie.it

TEA - Tascabili degli Editori Associati S.p.A., Milano
Gruppo editoriale Mauri Spagnol
www.tealibri.it

Illustrazioni di Paolo d'Altan

Prima edizione «I Grandi» TEA febbraio 2012
Seconda ristampa «I Grandi» TEA aprile 2012

L'ULTIMA RIGA DELLE FAVOLE

a Mario Spagnol (1930-1999)
che se l'aspettava

Le Terme dell'Anima

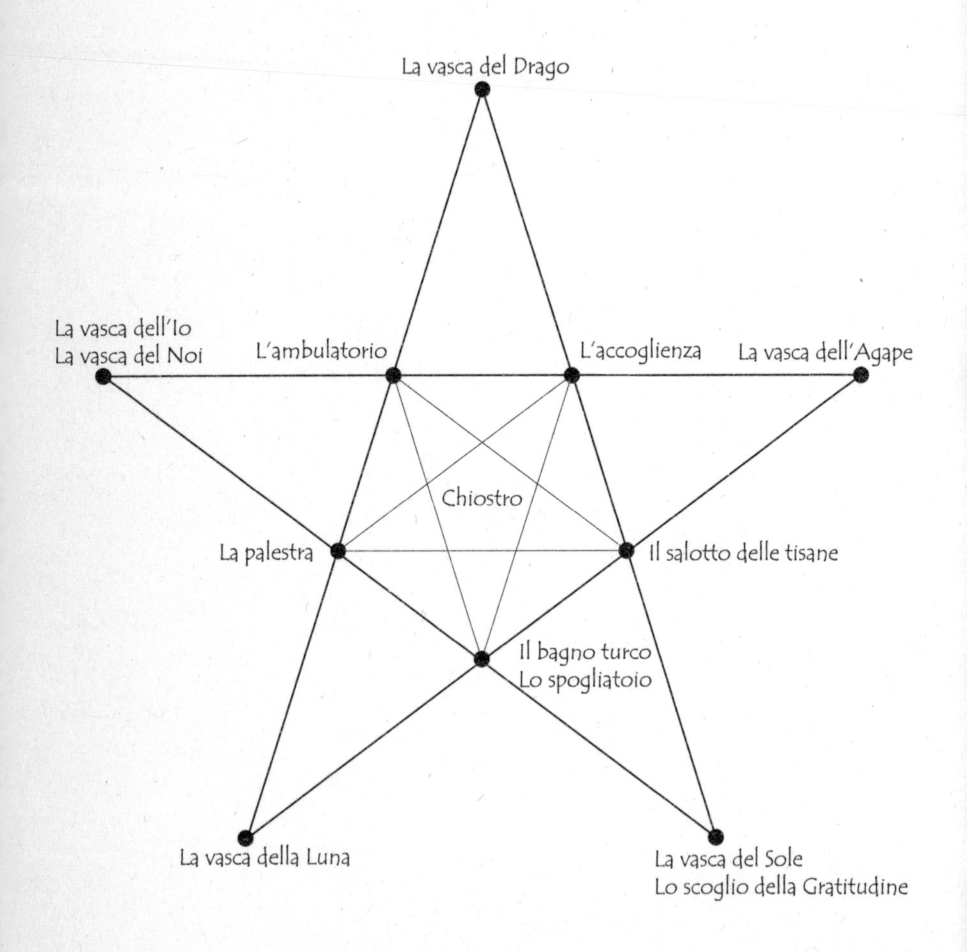

La vasca del Drago
La vasca dell'Io
La vasca del Noi
L'ambulatorio
L'accoglienza
La vasca dell'Agape
Chiostro
La palestra
Il salotto delle tisane
Il bagno turco
Lo spogliatoio
La vasca della Luna
La vasca del Sole
Lo scoglio della Gratitudine

« Dov'è il principio, là è la fine. »

Vangelo di Tommaso, 18

C'era una volta – e c'è ancora – un'anima curiosa che vagava per gli spazi infiniti senza trovare un amore dentro il quale tuffarsi. Stava andando alla deriva negli abissi di un mare di noia quando sentì pulsare qualcosa. Una luce, fatta di musica. E rimase inebetita da tanta bellezza. Disse solo una parola e si tuffò dentro di te.

Allora vi siete dimenticati tutto e avete incominciato a vivere. Tu e la tua anima.

Per sempre felici e contenti, prometteva l'ultima riga delle favole. Invece siete finiti in una gabbia, e le sue sbarre le ha costruite il dolore. Non riuscite più a stare insieme e neppure a staccarvi. Vi trascinate senza meta sotto il peso dell'infelicità e nei vostri pensieri il futuro assomiglia a un deserto dove la nostalgia prevale sul sogno e il rimpianto sulla speranza.

Lettrice o lettore, non ti crucciare. Prima o poi – e più prima che poi – sentirai in sogno una voce di flauto.

«Lei è la tua anima, mica un accidente. Se non te ne innamori, non amerai mai niente.»

« Innamorarmi della mia anima! E come si fa? »
« Ti do un indizio. Ricomincia dall'inizio... »

Mihael

Il protagonista di questa storia gettò la rivista sul tavolo.
« Che filastrocca insulsa », disse.
E la ritagliò.

PROLOGO

Dove il protagonista riceve una telefonata
che avrebbe voluto fare e ne rimane
così sconvolto da perdersi nel blu.

I

Arianna era esattamente il genere di ragazza di cui avrebbe potuto innamorarsi. Doveva darsela a gambe e sparire, prima che fosse troppo tardi.

Mancava meno di un'ora all'appuntamento e al solo pensiero starnutì. Ecco, l'avrebbe chiamata per comunicarle che un raffreddore contagioso impediva al suo naso di cenare con lei.

Rianimò una banconota che moriva di solitudine in fondo alla tasca dei pantaloni. Aveva scarabocchiato sul margine un numero di telefono con la sua grafia da gallina, ma nel comporre le cifre ebbe un'esitazione fatale e l'apparecchio gli squillò fra le mani.

« Stasera non posso uscire con te... » esordì il genere di ragazza di cui avrebbe potuto innamorarsi.

Se ne innamorò.

« Hai assunto informazioni sul mio conto? »

« Avevo già un altro impegno... Me n'ero scordata... »

« Capisco. »

« Non puoi capire e io non posso spiegare... C'è di mezzo una persona... »

Arianna fece una pausa più lunga delle altre, durante la quale lui si dimenticò completamente di respirare. « Magari... nei prossimi giorni... »

« Come no, nei prossimi giorni. »

« Notte, Tomàs... Fai bei sogni... » e riattaccò.

Tomàs rimase con la cornetta appesa all'orecchio, una pistola scarica. Pigiò la banconota in fondo alla tasca dei pantaloni e ricominciò a starnutire.

II

Era stato bruciato sul tempo. Proprio lui, il disertore sentimentale che riempiva le donne di attenzioni, ma al momento di concludere si ritraeva spaventato in una scia di bugie. Diversamente dai fuggitivi tradizionali, a sospingerlo in anticipo verso l'uscita non era il rimorso di tradire una compagna o un ricordo indelebile. Come i veri serial killer, Tomàs abitava il suo cuore da solo.

Innaffiò l'aria già umida con un altro starnuto. Una pallina di cemento armato oscillava sulla vetta dello stomaco e narici mani occhi perdevano acqua come rubinetti chiusi male. Era la sua allergia che accorreva a fornirgli un alibi nel momento del bisogno.

Andrò al mare a respirare un po', decise. Solo lo iodio riusciva a placare le bizze del suo sistema linfatico. Avrebbe camminato lungo la spiaggia. Danzare sull'orlo delle onde cercando di non bagnarsi i piedi restava una delle poche regressioni all'infanzia che lo facesse sentire vivo.

Trasferì in macchina il suo cattivo umore e accese la radio per impedirsi di pensare. Il notiziario della sera raccontava che anche quel giorno il peggiore dei mondi possibili aveva riscosso la sua rata di dolore: un surfista inghiottito dai cavalloni e una diva della televisione misteriosamente caduta nelle acque dell'oceano durante una crociera coi fan.

Fece sosta in un bar e si accorse di aver lasciato il portafogli a casa. Comprò un panino immangiabile con la banconota che custodiva sul margine il numero di Arianna. Disse a se stesso che aveva soltanto quei soldi e troppa fame, ma era consapevole di aver obbedito a uno degli impulsi autodistruttivi di cui talvolta si compiaceva.

Imboccò la litoranea, insultando le macchine che non si scansavano, nella convinzione insensata che ce l'avessero con lui. I fanali illuminarono la sagoma di un uomo che si sbracciava sul ciglio della strada. Un ubriaco, uno zingaro, un ladro, comunque un essere umano: brutta razza. Lo ignorò.

Parcheggiata l'auto davanti alla spiaggia, raggiunse a piedi nudi il rumore del mare e diede inizio alla sua danza sincopata sull'orlo delle onde. Scansò la prima con un balzo laterale, ma la seconda lo schizzò fino ai polpacci. Gli passò la voglia di giocare e proseguì in direzione del molo, dove tante volte da ragazzo aveva atteso l'alba. Era il suo ufficio dei sogni e non ci lasciava entrare nessuno. Però adesso l'ufficio era vuoto e l'alba ancora così lontana.

Un impasto di voci lo costrinse a voltarsi. Delle ombre correvano verso di lui. Balordi, certamente. Il loro capo si arrestò a un passo, emettendo suoni indecifrabili. Aveva gli occhi fuori dalle orbite e il volto trasfigurato in una maschera di spavento.

Tomàs pensò di non avere scampo: davanti a sé uno sguardo ostile e alle spalle nient'altro che il mare.

«Mi sono rimasti solo degli spiccioli», urlò rovesciandosi le tasche dei pantaloni.

Lo spiritato dovette sentirsi offeso dalle dimensioni dell'offerta perché gli mise le mani intorno al collo. Tomàs si divincolò, ma i suoi piedi non trovarono più la terra e cadde nell'acqua salata, fredda quanto poteva esserlo fuori stagione.

Nuotò disordinatamente, con la sensazione che il tempo si dilatasse a ogni bracciata. Quando tirò fuori la testa, lo stomaco si contrasse in uno spasmo. Annaspò fra le onde, strillando alle stelle la sua patetica richiesta d'aiuto. Ma appena le forze incominciarono ad abbandonarlo venne invaso da una sensazione di spossatezza che conosceva bene e si lasciò andare a fondo lentamente.

Non aveva mai invocato la morte, gli incuteva troppa paura. Eppure in quel momento la immaginò come una complice che avrebbe steso un velo pietoso sopra le ferite che non era stato capace di guarire. Una famiglia, una laurea e un mestiere da scordare. Pochi ideali, amici e amori da rimpiangere. Una vita senza senso e senza cuore.

L'ultimo desiderio lo raggiunse fuori tempo massimo. Avrebbe voluto farsi cullare dalla voce di Arianna, se solo avesse ritrovato la banconota con il suo numero di telefono.

Stava andando alla deriva negli abissi di un mare di noia quando sentì pulsare qualcosa. Una luce, fatta di musica. E rimase inebetito da tanta bellezza.

L'ACCOGLIENZA

Dove Tomàs incontra la bellezza,
combatte con un drago che sputa acqua
dalle narici e fa finta di addormentarsi.

III

Era sdraiato su un lettino di vimini con un accappatoio indosso, al centro di una stanza abbastanza buia per assomigliare a un obitorio, ma troppo calda per esserlo davvero.

Eppure sono morto, pensò. E starnutì.

I morti non starnutivano, almeno questa era l'opinione più diffusa. Chiese soccorso alla memoria frastornata, che gli restituì il ricordo di un naufragio esistenziale. Forse aveva sognato. Forse stava sognando ancora. Sentì il suono di un flauto in sottofondo e dalla penombra vide affiorare una vasca coperta da petali di rosa. Un cartello palpitava sulla parete alla luce di una candela.

... esci dalla testa...

Tomàs detestava gli enigmi quasi quanto le filastrocche, per cui non perse tempo a chiedersi che cosa volesse dire. E poiché aveva smesso da un pezzo di credere agli incantesimi, evitò di pronunciare la frase a voce alta per sperimentarne le qualità di formula magica. Era invece un buon conoscitore di film d'azione e s'avventò a spalle sguainate contro la porta priva di serrature con l'intenzione di sfondarla. Ma al momento dell'impatto si accontentò di appoggiarvi la fronte. Lo stipite cedette senza combattere. Doveva essere un posto ben strano, se per aprire le porte bastava spingerle.

Oltrepassata la soglia, precipitò in un buio ancora più profondo. Folate di vento autunnale si insinuarono fra le pieghe dell'accappatoio e lo costrinsero a riparare la nuca sotto il cappuccio. Nell'aria fluttuava uno spirito languido, come se la natura si andasse ritraendo in se stessa per recuperare vigore. Si lasciò guidare dal bagliore fioco di alcune lampade a olio, lungo un sentiero di foglie secche che lo condusse all'ingresso di un chiostro.

Aveva già azzardato qualche passo sul pavimento a scacchi quando sentì pronunciare il suo nome. Si voltò di scatto e vide una femmina dalla pelle scura. Il candore della tunica ne esaltava per contrasto la carnagione. In una mano reggeva una fiaccola e nell'altra un registro rilegato.

Tomàs avrebbe preferito pensare fosse un angelo o un'infermiera, piuttosto che la sacerdotessa di un rito sanguinario, anche se l'ultima ipotesi lo convinceva molto di più.

« Benvenuto, signore. La stavamo aspettando. »

« Dove sono? »

« Dove ha chiesto di andare. »

« Non ho chiesto nulla. »

« Ha desiderato. »

« Non mi pare. E comunque da quando in qua i miei desideri vengono esauditi? Io non sono nessuno. »

« Forse ha dimenticato l'impresa straordinaria che realizzò per venire al mondo. Lei è il vincitore di una gara di nuoto fra trecento milioni di spermatozoi. »

Tomàs incominciò a sudare. Aveva sempre pensato che l'aldilà fosse una favola. Invece era un manicomio, e in questo assomigliava alla vita.

« Ma lei chi è? »

«La responsabile dell'accoglienza», rispose la Vestale Nera.

Sfuggente e aggraziata come una fiamma percossa dal vento, emanava il fascino delle irraggiungibili. La vide avanzare con falcate elastiche, finché fu così vicina che poté leggerne il nome sulla spilla all'altezza del seno.

Stella Maris.

«Qui c'è la sua prenotazione, signore. Devo chiederle solo alcuni dati per completare la scheda.»

Tomàs sbirciò il registro e riconobbe la fotografia della sua prima festa di compleanno: le guance gonfiate a mongolfiera soffiavano sulla candelina di una torta di cioccolato. Accanto all'immagine qualcuno aveva scarabocchiato una frase con grafia da gallina: *durata del soggiorno da definire.*

«Aiuto!» gridò, e si mise a correre.

Stella Maris non alzò neppure la testa dal registro. Chissà perché all'inizio facevano tutti così.

IV

Il fuggitivo arrancò lungo il sentiero cercando una via d'uscita, ma in qualunque verso lo percorresse si ritrovava di fronte alla stessa piscina. Due fenicotteri rosa vi dormivano dentro: in piedi, la zampa destra sollevata. Gli sembrarono felici e li invidiò.

Al centro della vasca si stagliava la statua di un drago. In mancanza di alternative Tomàs si accinse a scalarla. Aveva da poco incominciato l'arrampicata quando dalle fauci del mostro sprizzarono fiotti d'acqua gelida che gli fecero perdere l'equilibrio, scaraventandolo nella piscina.

Non risparmiò le bracciate per riavvicinarsi alla statua, ma la corrente contraria era troppo impetuosa. Dopo una lotta selvaggia smise di opporvisi. Aveva i polmoni esausti e i denti che battevano come nacchere.

« Lei è un nuotatore degno della sua fama. Però le consiglio di uscire, altrimenti prenderà qualche malanno. »

Stella Maris era seduta sul bordo della vasca e teneva in grembo un accappatoio asciutto. La divertiva di più lavorare con i bambini. Gli adulti erano troppo acciaccati dalla vita: si stupivano di rado e si arrendevano subito. Anche se l'uomo che le avevano appena affidato sembrava fare eccezione: sotto l'involucro lamentoso pulsava lo spirito di un combattente.

Lo ricondusse nel chiostro, invitandolo a stendersi su un lettino.

«Vuole dirmi con parole sensate in quale incubo mi trovo?» ansimò Tomàs.

«Alle Terme dell'Anima, signore.»

«Sono morto, dunque?»

«A me non risulta. Lei è ricoverato qui per ricominciare a vivere.»

«Che razza di imbroglio è questo?»

«Un universo parallelo. Una delle tante possibilità.»

La Vestale Nera gli appoggiò le mani sopra la testa e Tomàs venne investito da una sensazione piacevole di calore. Avvertì una voce crescere dentro di sé. Non s'imponeva per l'intensità del volume, ma per la forza con cui scandiva le parole.

«Immagina. Sì, immagina che la manifestazione della vita nell'universo sia come la radio della tua automobile: un insieme di frequenze. I cinque sensi ti sintonizzano soltanto su una stazione, per cui sei portato a pensare che le altre non esistano e che la tua sia l'unica possibile. Ogni tanto qualcuno sconfina in quelle accanto, ma capta il segnale in maniera disturbata e lo chiamano matto. Però anche la persona più diffidente riesce a mettersi in collegamento con tutte le stazioni, almeno una volta nella vita.»

«Succede quando è completamente invasa dall'amore», aggiunse Stella Maris.

Tomàs si rizzò a sedere sul lettino.

«L'amore! Io conosco soltanto le emozioni e le passioni, disturbi passeggeri. L'amore non esiste, come non esiste questo posto.»

Nel silenzio del suo cuore echeggiò di nuovo la Voce Che Parlava Dentro.

«Hai smesso di credere. Sì, hai smesso di credere a quello che non riesci più a vedere. Ma la realtà non si percepisce solo con i sensi e con la mente.»

Tomàs si ribellò a una simile assurdità. Esclusi i sensi e la mente, cos'altro rimaneva?

«L'intuizione», rispose Stella Maris. «Chi crede soltanto a ciò che vede, vede una vita ingiusta e cattiva.»

«Da morir dal ridere, se non fossi già morto. E come mai questo grande segreto non mi è stato rivelato prima?»

«La verità va spogliata un poco alla volta, dal momento che l'uomo ha la pessima abitudine di sporcare ciò che stenta a capire.»

«Infatti continuo a non capire perché sono qui.»

«Lo ha chiesto lei, signore. Dagli abissi del mare ha mandato un messaggio d'amore su questa frequenza.»

Tomàs ricordava soltanto di aver pensato ad Arianna.

«Noi accogliamo coloro che scappano dalla vita, ma covano un desiderio non realizzato in fondo al cuore», continuò la Vestale Nera. «Un uomo arreso non è ancora un uomo perduto. A salvarlo sarà sempre il suo pensiero più ardito.»

«Mai avuto pensieri del genere, signorina.»

Stella Maris controllò il registro.

«Veramente qui ne risulta uno. L'anima gemella.»

«Sta scherzando, vero?»

«Come ha detto?»

«Ho detto che non ho niente di interessante da dirle.»

«Ne è proprio sicuro?»

Tomàs abbassò le palpebre e fece finta di assopirsi. Era una delle sue specialità. Fin da bambino aveva imparato a indossare la maschera dell'addormentato per scappare dalle situazioni che lo mettevano a disagio. Si girò su un fianco e incominciò a pensare.

All'anima gemella.

V

Era stata la sua ossessione durante l'infanzia, quando si divertiva ad accoppiare le carte, i giocattoli e finanche i soldatini: in fila per due. Ascoltava a bocca aperta le favole che fluivano dalla voce calda di sua madre, ma l'ultima riga lo lasciava sempre insoddisfatto.

E vissero per sempre felici e contenti. Avrebbe voluto sapere che cosa succedeva davvero, dopo.

Nel frattempo era successo qualcosa a lui. La sofferenza gli aveva ustionato il cuore troppo presto e una crosta di cinismo si era formata sopra le cicatrici della sua sensibilità. Aveva poi imparato a rintracciarla negli incompresi, nei brutti, nei disillusi. Ogni essere umano custodiva una buona ragione per non credere più ai sogni e sentirsi tradito dalla vita.

Camminando fra le nuvole basse del suo pessimismo, aveva finito per attrarre ragazze che gli somigliavano, benché fossero molto diverse fra loro. Si specchiavano nell'identica malattia: una voglia d'affetto che non riusciva a sgorgare limpida dai cuori rattrappiti.

Aveva esplorato il corpo umano con una compagna di scuola che lo eccitava fisicamente, ma che non stimava. Anni dopo sarebbe andato al suo matrimonio e avrebbe riso delle coppie fasulle che sedevano ai tavoli con l'allegria obbligata delle circostanze ufficiali. Di molte conosceva l'infelicità e i tradimenti. A mantenerle unite era la paura della solitudine più che il desiderio di restare insieme.

Nonostante tutto, era stato capace di innamorarsi. Durante il primo anno di università aveva inseguito un reddito sicuro nella fabbrica delle ripetizioni e, mentre cercava di piantare qualche seme del genio di Omero nel cervello di una studentessa dagli occhi mobili, si era ritrovato prigioniero di un amore improbabile.

Era la figlia del notaio più ricco della città. Aveva tre anni meno di lui e un carattere tanto volubile da poter essere scambiato per profondo. Le aveva imprestato sfumature interiori inesistenti, pur di giustificare a se stesso una passione che si nutriva di inadeguatezze. Era stata lei a lasciarlo, resistendo senza difficoltà ai suoi tentativi di recupero.

Il trauma del distacco lo aveva spinto lungo il sentiero che conduce alla perdita della dignità. Aveva spedito lettere e attuato pedinamenti, riscritto per lei il testo di una canzone dei Beatles e sovrapposto il suo volto al poster della Venere di Milo. A Capodanno le aveva fatto recapitare una sacca con trecentosessantacinque regalini. La trovata gli era valsa uno squillo di ringraziamento, concluso da una frase tombale: « Non incontrerò mai più un ragazzo dolce come te ». Quelle parole avevano alimentato speranze inaudite. A infrangerle definitivamente era stata la scoperta che lei si era appena invaghita del rampollo di una famiglia di industriali: bello, ricco e abbastanza ottuso da apparirle autorevole.

Aveva cercato rifugio nell'alcol e nella lettura del *Grande Gatsby*, meditando improbabili vendette contro i figli di papà. Il dolore, che mesi di attività frenetica avevano arginato, era infine esploso nel suo stomaco, evocandone un altro che risaliva all'infanzia e sul quale non era mai voluto ritornare. Le disfatte del cuore aprono squarci provvisori che consentono di guardarsi dentro, e quel poco che aveva visto non gli era piaciuto per niente. La ferita si era rimarginata a fatica, lasciando una cicatrice che durante certe canzoni sanguinava ancora.

Dopo la laurea in lettere antiche aveva trovato la forza di scomparire fra le braccia di una collega di matematica, le cui curve paraboliche rendevano intriganti persino le equazioni. Per un equivoco che non era mai riuscito a chiarire fino in fondo, la Matematica lo considerava meraviglioso. All'inizio Tomàs si era adagiato sopra quell'amore a senso unico. Poi, col tempo, aveva imparato cautamente a ricambiarlo. In una notte di pioggia, lei si era presentata fradicia e tutta tremante alla sua porta. Non se n'era più andata. Avevano mescolato i sogni e i libri, l'ira di Achille e la logica di Euclide, con Gatsby in mezzo a far da paciere.

Il quadro era talmente perfetto che quando la Matematica gli aveva detto di aspettare un figlio, lui si era sentito morire. Aveva avuto una visione nitida del proprio futuro, appiattito sotto la pressa delle responsabilità. Avrebbe dovuto cercarsi un lavoro serio e condannarsi a una vita senza emozioni. Sullo sfondo immaginò l'infelicità, i tradimenti e un matrimonio borghese come quelli sui quali aveva sempre sputato. All'improvviso il suo appartamento gli parve una prigione e il giorno in cui lei perse il bambino non ebbe il coraggio di confessarle il suo sollievo.

Si sentì un verme, un relitto, un'eterna incompiuta e negli scantinati del proprio egoismo incontrò una ragazza anoressica che gli offrì il diversivo per scappare dalla donna che lo amava. Fu la prima di una serie di distrazioni che servirono a confermarlo nella pessima opinione che aveva di se stesso. Costrinse la Matematica a lasciarlo, non riuscendo neanche a trovare il coraggio di farlo lui, e abbracciò una vita superficiale che non gli piaceva, pur di potersi convincere che fosse l'unica possibile.

Alla lunga le sue peripezie gli procurarono una crisi di rigetto. Fu la sera in cui, per un assommarsi di coincidenze incredibili, si ritrovò nel letto di una camera d'albergo con una sconosciuta che lo occupava già da alcune ore. Passarono la notte a raccontarsi la vita, protetti dal buio che nessuno dei due pensò mai di violare accendendo l'abat-jour. All'alba lei si addormentò e la prima luce del mattino che filtrava dalle persiane gli permise di scorgerne i lineamenti. Era bellissima. Ma mentre allungava una mano per accarezzarle il viso, sentì un prurito morsicargli i fianchi e incominciò a riempire la stanza di starnuti. Scappò senza nemmeno salutarla, in quella che sarebbe diventata la sua prima fuga.

Da allora non era più riuscito a toccare una donna. Aveva continuato a corteggiarle per abitudine, sfinendole in estenuanti corpo a corpo telefonici. Ma appena sospettava di esserne ricambiato, gli starnuti imponevano la ritirata. La nausea nei confronti dell'amore si era estesa ai suoi surrogati e lo aveva trasformato in uno spacciatore di illusioni che concepiva i rapporti sentimentali come foreste da cui scappare un attimo prima di esserne inghiottiti. Il desiderio dell'anima gemella giaceva esausto nel baule della memoria, benché talvolta riaffiorasse durante la lettura di un romanzo e di fronte agli spettacoli gratuiti della natura.

Aveva racchiuso il suo disincanto in un teorema. Quanti miliardi di donne esistevano al mondo? Tre e mezzo, all'incirca. Ma tolte le troppo giovani, le troppo vecchie, le ragazze che non gli piacevano fisicamente e quelle a cui non piaceva fisicamente lui, il campione si assottigliava ad alcuni milioni. Dal computo bisognava poi sottrarre coloro che avevano gusti inconciliabili con i suoi. E le smorfiose, le stupide, le antipatiche, le arroganti, le petulanti, le ignoranti, le pettegole, le noiose, le moraliste, le ipocrite, le frigide, le ninfomani, le isteriche, le evanescenti, le comandanti dell'esercito della salvezza, le remissive, le perplesse che dicevano di amarlo solo al settantacinque per cento, le insicure che mettevano scadenze ai sentimenti come se fossero dei surgelati, le inarrivabili, le inespugnabili e quelle che sapevano di formaggio: era allergico al formaggio.

Anche limitandosi a una selezione così approssimativa, il numero delle anime gemelle potenziali si riduceva a poche decine di migliaia, la maggior parte delle quali abitava in luoghi esotici o comunque difficili da raggiungere. Le rare superstiti a portata di mano erano impegnate con un marito, un amante, un legame precedente che non voleva andarsene o era sempre pronto a ritornare, pur di guastare la festa a lui. Ma persino nel caso ipotetico in cui una di loro gli si fosse concessa in esclusiva, la storia non sarebbe sopravvissuta alla fine dell'emozione. Svanita l'adrenalina, sarebbe rimasta la noia. Oppure il dolore.

L'epilogo stringente del teorema era che la sua dotazione di anime gemelle non superava le dieci unità, tutte vissute in epoche passate. Il tempo presente consentiva solo amori deperibili e incompleti.

Restavano due alternative. Accontentarsi di una donna che non gli incendiasse il cuore. Oppure rassegnarsi a una solitudine intervallata da passioni inesorabilmente brevi. Aveva scelto la busta numero 2, ma soltanto perché un'indole romantica della quale non era mai riuscito a sbarazzarsi completamente lo aveva indotto a scartare la prima. Purtroppo anche le storie meno impegnative presentavano delle complicazioni. Ed era proprio per evitarle, che negli ultimi tempi la sua allergia lo aveva trasformato in un assassino di amori in fasce.

Aveva sulla coscienza un'architetta bruna con il naso ritoccato e l'umore disfatto, conosciuta a una festa di depressi. Si erano intontiti di telefonate preparatorie prima di arenarsi sulle poltrone scomode di un cinema. Ma non appena lei gli aveva appoggiato la testa sopra la spalla, lui si era messo a starnutire. Era stato uno strazio resistere fino ai titoli di coda e poi dissolversi nel nulla, rispondendo alle sue chiamate « la linea è disturbata, non riesco a sentirti », preludio alla decisione finale di non risponderle più.

Per mantenere le emozioni a distanza di sicurezza, aveva intrecciato un dialogo con una ragazza che viveva dall'altra parte del mappamondo. Trascorrevano le ore davanti alla luce fioca dei computer a scambiarsi ricette sull'amore. Ma un brutto giorno lei aveva scavalcato i fusi orari per venire a conoscerlo di persona. Aveva incominciato a starnutire mentre le apriva la porta. Non era stato facile farsi detestare da quella creatura entusiasta. Eppure lui c'era riuscito, opponendo un silenzio di ferro alle sue richieste di spiegazioni.

La figuraccia successiva era iniziata un po' meglio, ma solo perché lei era un'aspirante dottoressa e al primo starnuto gli aveva rovesciato in gola una pioggia di calmanti. Si erano abbracciati in macchina come ragazzini e a lui era sembrato di soffocare. Aveva sterzato le labbra dalla sua bocca, sussurrando: « Non funzionerebbe, siamo troppo uguali ». O: « Non funzionerebbe, siamo troppo diversi ». Una delle due bugie, ma forse entrambe. Non ricordava già più.

Poi era arrivata Arianna e lo aveva restituito a un ruolo che gli era altrettanto congeniale: quello della vittima. L'inettitudine di cui aveva dato prova durante la loro ultima telefonata gli procurava ancora un tale imbarazzo che per scacciarne il ricordo riaprì gli occhi.

Stella Maris era seduta accanto a lui, intenta a prendere appunti sul registro.

« Grazie, signore. I suoi pensieri sono allacciati al cuore, per questo li sento così bene. »

Dalle pieghe della tunica estrasse una cartolina e gliela consegnò.

... smetti di rimpiangermi... e mi ritroverai...

Tomàs scoppiò a ridere.

« E questa chi me la manda, Pinocchio o la Fata Turchina? »

« Mi dispiace, non sono autorizzata a fornire informazioni. Sia così gentile da seguirmi. Prima di iniziare il percorso delle Terme, dovrà sottoporsi a una visita medica. »

LA VISITA MEDICA

Dove il Direttore delle Terme sottopone
Tomàs alla radiografia della sua anima
e gli prescrive una ricetta.

VI

L'ambulatorio si trovava nella zona occidentale del chiostro. Era scuro e spoglio. Dietro l'unico mobile, uno scrittoio collocato fra due bracieri, sedeva un uomo gigantesco con i capelli tagliati a spazzola. Il camice bianco gli conferiva un aspetto rassicurante, solo in parte smentito dal medaglione d'argento che oscillava sul suo petto come un pendolo. Stella Maris si rivolse a lui con deferenza, chiamandolo Direttore.

Il medico invitò il paziente ad avvicinarsi e gli porse uno specchio color tenebra. Tomàs vi lanciò uno sguardo diagonale. Nonostante l'opacità del quadro, riuscì a riconoscersi: le occhiaie scavate, le guance rotonde, i capelli arruffati. Poi la sua immagine sparì e al centro dello specchio comparve una donna seduta su un trono.

I contorni erano confusi, eppure poteva intravedere la corona che le cingeva il capo. Un mantello dorato inguainava le forme abbondanti lasciando affiorare il piede destro, adagiato sopra un cuscino. Entrò in scena una seconda donna, simile alla prima nei lineamenti. Ma questa era scheletrica, vestita di stracci, e si prostrò fino a sfiorare il piede dell'altra, che incombeva su di lei con un sorriso sardonico.

Il paziente distolse gli occhi dallo specchio e incrociò quelli del Direttore: due pietre grigio-azzurre che luccicavano nell'oscurità.

«Hai appena visto la tua anima.»

« Ignoravo portasse la quarta di reggiseno. » Quando aveva il cuore in tumulto, Tomàs alzava lo scudo dell'ironia.

« L'anima è femminile, al pari di ogni liquido del corpo. Ma che cosa vi insegnano nelle vostre scuole? »

« Di femmine lo specchio ne rifletteva più d'una. »

« Ha messo in evidenza uno sdoppiamento. Le due donne rappresentano crudeltà e debolezza. Sono complementari: chi è debole è sempre crudele. »

« Non capisco perché la mia anima dovrebbe mostrarsi su un pezzo di vetro. »

« Ciascun uomo si vede per come si considera. E tu ti consideri sempre troppo o troppo poco. Mai per quanto vali davvero. Quale paura ti opprime? »

« Il medico è lei. »

« Ma chi deve guarire sei tu. Riesci a raccontarmi qualcosa di autentico sull'amore? »

Pur di dare una lezione a quell'interlocutore così indisponente, Tomàs ricorse alla definizione più intensa che avesse mai letto. Era di Percy Bysshe Shelley. L'amore, diceva, è la forza potente che ti attrae verso tutto ciò che temi o speri all'infuori di te, quando scopri nei tuoi pensieri l'abisso di un insaziabile vuoto e cerchi di risvegliare in ogni cosa che esiste una consonanza con la tua anima.

Il Direttore apprezzò la citazione, anche se la trovò troppo emotiva per i propri parametri. Le informazioni sul nuovo visitatore si rivelavano esatte. Dietro la maschera del cinismo conservava intatta la capacità di meravigliarsi.

« I poeti arrivano quasi sempre vicino al vero. L'amore è l'energia di cui è composto l'universo, e il cuore umano uno dei canali attraverso i quali si riversa nel mondo. Spesso però il cuore è otturato e per riattivarlo è indispensabile che Cupido lo colpisca con una delle sue frecce.»

«Non facciamogli sprecare munizioni. Tanto su di me rimbalzano.»

Il Direttore si disincagliò dallo scrittoio e mosse verso di lui. Nonostante la mole, dominava lo spazio con gesti sicuri.

«Ho l'impressione che dovremo ricominciare dal principio. Sai dove nasce l'amore?»

«All'altezza dell'inguine, sostiene un mio amico che si spaccia per seduttore. Ma un altro, sebbene abbia divorziato due volte, si ostina a collocarlo dalle parti del cuore.»

«Hanno ragione e torto entrambi. L'amore attraversa l'inguine per sfociare nel cuore. Ma, come tutte le sorgenti, anche le sue vanno cercate più in alto.»

Lo toccò fra le sopracciglia, alla radice del naso.

Tomàs sentì un laccio afferrargli la gola. Inanellò una serie di starnuti, poi il suo viso prese fuoco.

Il medico gli pose le mani sul plesso solare e la faccia si spense a poco a poco, mentre il laccio intorno alla gola andava sbriciolandosi in una pioggia di coriandoli.

«Hai compreso, Tomàs? L'amore è un fuoco che sgorga dalla testa, in reazione a un impulso dei sensi. E da lì precipita come una freccia verso l'eros.»

«Dove scalda un po' le viscere e poi va a spegnersi dentro uno sbadiglio o in fondo a un pianto.» Si stupì di riuscire ancora a parlare.

«A meno che tu sia così bravo da farlo risalire fino al cuore. Il sentiero è stretto. Però solo quando l'emozione si sublima in sentimento l'amore raggiunge il suo centro e l'uomo diventa invincibile.»

« Lei ha un talento straordinario per le frasi che avvolgono i cioccolatini. »

« Forse. Ma il mio vero talento consiste nel guarire le persone. Qual è il tuo? »

« Non mi è sembrato un gesto memorabile infierire su di me e poi curarmi. L'ha fatto per sentirsi più buono? »

« Essere buono non mi interessa. La bontà è come la tua allergia. Una disarmonia. Preferisco essere giusto. »

« Sia giusto, allora, e mi dica dove mi avete condotto. »

« Hai fatto tutto da solo. Noi ti abbiamo soltanto aperto la porta. È impossibile che tu sia sprovvisto di talenti. »

« Si fidi, non ne ho. »

« Tutte le anime ne posseggono uno e vengono al mondo per farlo fruttare. »

« Evidentemente la mia aveva un difetto di fabbricazione. »

« La maggior parte degli uomini ignora di custodire il germe della propria fortuna. Lo cerca all'esterno, nelle sensazioni superficiali o in certe esperienze estreme. E, non trovandolo, finisce per condurre una vita infelice. Conosci la favola del drago che aveva sotterrato il suo unico talento in una miniera abbandonata e vi montava la guardia per paura che qualcuno glielo rubasse? Arrivò un cavaliere, vinse il drago e liberò il talento, trasformando la miniera abbandonata in un tesoro. »

« Acqua passata, adesso sono un puntino nel blu. Desidero solo scomparire in pace. »

In realtà gli stava tornando una pallida voglia di vivere e sperava che il Direttore si lasciasse scappare qualcosa di illuminante sul suo destino.

« Ti racconterò una storia, Tomàs. Il protagonista è un ragazzo che sognava di diventare chitarrista. L'avventura incomincia la mattina del suo quattordicesimo compleanno. Quando gli regalarono una chitarra. »

« Che colpo di scena. »

« Era veramente bella. Ma piena di corde. Il ragazzo le sfiorò con le sue dita timide e ne fu respinto. Allora le toccò con più vigore: la chitarra emise un gorgoglio ottuso che non aveva niente da spartire con il mondo di suoni che lui sentiva dentro. »

« Avrebbe fatto meglio ad andare a lezione di musica. »

« Ci andò. Aveva imparato da qualche parte che quando un sogno ti resta incollato addosso per molto tempo significa che non è più un'illusione, ma un segnale che ti sta indicando la tua missione nella vita. Cucinare spaghetti. Fare calcoli. Riparare orologi. Ciascuno ha la sua e l'errore consiste nel credere che una sia più importante dell'altra, solo perché non tutte procurano fama e denaro. »

« Ci sarà pure una differenza fra chi ripara orologi e chi viene chiamato a riparare il mondo. »

« Nel giudizio degli uomini. Non in quello dell'universo, se entrambi infondono nella propria opera il senso di un'esistenza. Il ragazzo era sicuro che la sua missione consistesse nel tirare fuori dalla pancia quei suoni. »

« E come si comportò a lezione? »

« Non apprese nulla, purtroppo. Allora ci ritornò. E fu ancora peggio. »

« In questi casi è sempre meglio smettere. Io l'ho fatto un'infinità di volte. Lasciai perdere la boxe il giorno in cui riuscii a mandarmi al tappeto da solo. »

« Il ragazzo la pensava come te. Disse mi arrendo, il mio sogno era falso, non ho alcun talento per la musica. Nascose la chitarra in un baule e accese la radio per impedirsi di pensare. Venne invaso da un suono semplice e nuovo che riecheggiò nella sua anima. All'epoca lo chiamavano skiffle, ma era già il rock.»

«Il rock? Vi facevo più noiosi, qui.»

«Il ragazzo riaprì il baule, abbracciò la chitarra e provò il primo accordo. In quel momento capì che per sapere se un sogno è giusto bisogna prima rinnegarlo, affinché la vita te lo restituisca per sempre con una rivelazione improvvisa.»

«E una volta compreso il suo talento, in quale modo lo sprecò?»

«Chi trova il proprio talento non lo spreca mai. Quel ragazzo si chiamava John Lennon.»

VII

Tomàs chinò il capo in silenzio. Pensò che non aveva mai combattuto per qualcosa che valesse la pena di sognare. Si era accontentato di scivolare a testa bassa lungo i pendii delle preoccupazioni, mascherando i suoi scatti di rabbia da sussulti d'orgoglio. E ormai era tardi per rimediare.

Il Direttore chiese il registro a Stella Maris e incominciò a sfogliarlo.

« La compagna di scuola, la figlia del notaio, la Matematica... Mai una storia in equilibrio. »

Continuò a girare le pagine, lo sguardo sempre più corrucciato. « L'architetta piantata in asso al cinema. La ragazza arrivata dall'altra parte del mappamondo e subito rispedita indietro. L'aspirante dottoressa intontita di bugie... La tua vita è un'evasione continua. Da che cosa scappi? »

« In un mondo dove tutto è precario, neanche i rapporti sentimentali possono essere stabili. »

« Quindi tanto vale sfuggirli. »

« Ho già sofferto abbastanza. Qualsiasi passione evapora. »

« Non è vero. Qualcuna evolve e trasmuta. La fuga serve solo a portare altrove le tue inquietudini, in cerca di emozioni che non potranno mai appagarti. »

« Ho smesso di cercare anche quelle. Non riesco ad apprezzare più niente. Ogni mattina mi sveglio con l'intenzione di essere amabile, ma poi non mi applico. So che non ne vale la pena. »

« Pensi sia tutto un gioco? »

«Non penso più. Bivacco ai margini di quel che mi capita. Posso fare del male, ogni tanto, ma senza volerlo.»

«La vera tragedia non è la cattiveria dei cattivi, ma la futilità delle buone intenzioni dei buoni.»

«Io non sono buono. È che non ho più intenzione di lasciarmi mettere in trappola. Ogni cosa si logora e si rompe. Perché dovrei credere che soltanto l'amore abbia un senso?»

Il Direttore riabbassò lo sguardo sul registro.

«Non trovo tracce della ragazza che ti ha spinto sin qui.»

«Arianna non mi ha spinto da nessuna parte. Ci siamo conosciuti a una conferenza intitolata *Il peggiore dei mondi possibili.*»

«Un mondo dove si tengono simili conferenze lo è di sicuro.»

«Il pensatore più famoso della città, così intelligente da venir spesso invitato a litigare in televisione, ha dimostrato senza ombra di dubbio che l'amore è il cibo degli illusi e la vita uno sforzo degno di miglior causa.»

«Il pubblico si sarà ribellato.»

«Al contrario: applaudiva ogni frase memorabile. E non era facile tenere il ritmo, perché il pensatore ne pronunciava una al minuto.»

«Hai per caso applaudito anche tu?»

«Avevo altri problemi. In mancanza di sedie libere, stavo in piedi contro una parete, accanto ai bocchettoni dell'aria condizionata e a un signore che profumava di uova marce.»

«Il peggiore dei mondi possibili...» Il viso del Direttore si distese in un'espressione estatica. «Sai qual è il colmo per un uovo?»

« La prego, mi risparmi i giochi di parole. Piacciono solo ai vecchi e ai bambini. »

« Non sarà un caso. E comunque il colmo per un uovo è... lavorare sodo! »

Dal petto gli sgorgò una risata omerica che Tomàs giudicò sproporzionata alla modestia della battuta.

« Dovrei forse ridere delle idiozie di quel pensatore? » continuò il Direttore, che gli aveva letto nel pensiero. « Non posso credere che nessuno sia stato capace di tenergli testa! »

« Lo ha fatto una ragazza con gli zigomi alti e i capelli corvini, seduta all'estremità della fila più vicina a me. Ha detto che questo mondo tanto orribile a lei sembrava solo addormentato. E che a risvegliarlo non sarebbe stata la logica dei sapienti, ma l'energia degli innamorati: gli unici ancora capaci di coniugare i verbi al futuro. »

« Immagino la reazione degli spettatori. »

« Le loro risatine l'hanno avvolta in una coperta di compatimento, che il pensatore si è affrettato a rimboccare con condiscendenza bavosa. Per lui una fanciulla così carina aveva tutto il diritto di credere nell'amore, prima di uscire dal mondo delle favole e andare incontro alla realtà. »

« E la ragazza? »

« Gli ha risposto che l'amore *è* la realtà. Ma le avevano già tolto il microfono e le sue parole si sono perse nel vuoto. Soltanto io sono riuscito a sentirle. All'uscita ho strisciato lungo i muri per scansare i pensieri della gente, finché mi sono ritrovato alle sue spalle. Le ho tirato una manica del vestito: 'Posso parlare con te, anche se non so coniugare i verbi al futuro?' Arianna si è voltata e mi ha sorriso. »

VIII

Era un sorriso serio che faceva poco uso delle labbra, scolpite in un broncio spesso e assertivo che svuotava le guance increspandole in una distesa di fossette e strizzava le palpebre fino a ridurre gli occhi a due raggi di luce.

Tomàs l'aveva percorsa tutta in un'occhiata. Gli zigomi spiovevano ai lati di un naso molto personale: dritto e deciso. Le masse del corpo erano snelle e possenti come cattedrali.

« Mi spiace contraddirti, ma l'amore non è la realtà. Il sesso e i soldi sono le uniche manovelle che ci mettono in moto. »

« Perché ne parli come se fossero qualcosa di sbagliato...? Il sesso e i soldi sono le scarpe che usiamo per camminare sulla vita... L'inganno sta nell'aver trasformato un paio di scarpe nella ragione del viaggio... »

« Per camminare sulla vita io preferisco i pattini. » Lo sguardo era precipitato sui sandali di lei e risalito lungo le gambe che guizzavano fra gli spacchi della gonna. La sua armatura femminile preferita.

« Si vede che non hai paura di cadere... »

« O che ho paura di andare troppo a fondo. »

« Hai mai provato a immaginarti più leggero...? »

Era poco portato per quel genere di conversazione. Di solito dava il meglio di sé con le stupidaggini e conservava un certo pudore nell'affrontare temi elevati.

« Cosa ci fa una come te in un posto come questo? »

« Sono giorni che inciampo nelle locandine della conferenza... Un'amica depressa ha insistito perché la accompagnassi... Ma era talmente depressa che all'ultimo si è tirata indietro lei... »

« Il mondo è pieno di persone che all'ultimo si tirano indietro. Però tu sei venuta. »

« È così noioso ascoltare chi già la pensa come me... E poi immagino sempre che il mio sogno si nasconda in luoghi improbabili... »

« Qualunque sia, dubito che lo troverai qui. Guardati intorno: un cimitero di cinici e rassegnati. »

« E se fossero ridotti così perché hanno smesso di crederci? La vita non è facile per nessuno... Ma rimane semplice solo per chi continua a coltivare il proprio sogno... »

« Il tuo quale sarebbe? »

Arianna aveva indugiato prima di rispondere.

« ... L'anima gemella... »

« Stai scherzando, vero? »

« Forse... Però i sogni non scherzano... Specie quelli che durano tutta la vita... »

In mancanza d'altri pezzi di carta, Tomàs aveva scarabocchiato il suo numero di telefono sul margine di una banconota. Si era deciso a chiamarla l'indomani, verso sera, nel momento della giornata in cui si gonfiava sempre di rabbia contro il mondo. Ma la voce di lei, profonda e solenne, lo aveva aiutato a perdonare.

Era rimasto colpito dalla calma con cui si spostava fra le parole, cercandole una dopo l'altra, senza quell'ansia di riempire le pause che angustiava chi, come lui, era abituato a nascondersi dietro i rumori.

Si erano svelati appena un po'. Arianna era una studiosa di filosofia che curava l'orto di famiglia e scriveva su riviste specializzate nel pagare niente. Tomàs un professorino disoccupato ma benestante, che ingannava il tempo spacciando ripetizioni di greco e latino a ragazzi che avevano scarsa voglia di ascoltarle.

Non era riuscito a capacitarsi di averle detto la verità. Di solito, con le donne che gli interessavano, si attribuiva come minimo una cattedra universitaria. In un eccesso di distrazione gli era scappato anche l'invito: ti andrebbe di venire a cena con me, finché morte non ci separi?

Il tono ironico della proposta lo aveva messo al riparo dal rischio di essere preso sul serio. Ma non riusciva a capire per quale ragione gli fosse saltato in mente di andare così in fretta.

Quella cena si sarebbe rivelata la solita trappola. Quante volte aveva già raccontato il romanzetto della sua vita a una donna destinata a diventarne l'ennesimo capitolo breve?

IX

Nell'ambulatorio delle Terme dell'Anima il paziente smise di parlare.

« Per questo hai disdetto l'appuntamento? » lo incalzò il Direttore.

« Lo ha disdetto lei, un attimo prima che lo facessi io. »

« E adesso ti manca. »

« Se potessi rivederla... O almeno ascoltare la sua voce... »

« Allora fai finta di non capire. Finché continuerai a cercare la soluzione fuori di te, non la troverai. Per attrarre l'amore di un'altra persona, devi prima snidarlo dalle profondità di te stesso. »

« Lei è la tua anima, mica un accidente. Se non te ne innamori, non amerai mai niente », cantilenò Tomàs a bassa voce.

« Come dici? »

« Nulla. Una filastrocca insulsa che ho letto su una rivista, tempo fa... Ma qual è il suo mestiere, il medico o il prete? »

« Si può parlare di spirito anche senza essere religiosi. »

« Peccato che a me lo spirito non interessi. »

« Se è così, i tuoi problemi continueranno a non avere soluzione. »

« È quel che sto cercando di dirle! »

Il gigante lo avvolse in uno sguardo di compassione.

« Voi, anime malate, siete un ammasso di pulsioni incoerenti. Trascorrete la vita a lamentarvi del divario incolmabile fra l'amore perfetto che sentite nei cuori e i rapporti umani imperfetti in cui esso si esprime. Ma appena vi si mostra la cura, rifiutate di applicarla, sostenendo che tanto non funzionerebbe. »

Ritornò allo scrittoio per compilare un foglio che poi gli consegnò.

« È la tua scheda medica: leggila. »

Puoi essere la storia di un vile o di un eroe, di uno che trema in fondo alla spelonca delle sue paure o che crede nell'amore capace di spostare le montagne. Scegli tu il destino che preferisci. Ma smetti di cercarlo fuori di te.

Ricorda con quanta ironia Gesù si rivolse a Tommaso: « Se qualcuno vi dice che il Regno è nei Cieli, gli uccelli saranno certamente in vantaggio su di voi... » E al giovane monaco che desiderava visitare la città magica di Shambhala, ma si era perso lungo la strada, l'eremita rispose: « Non dovrai andare troppo lontano. Shambhala si trova nel tuo cuore ».

Tu ancora non puoi sapere dove approderai. Ma chi incomincia a cercare ciò che ama finirà sempre per amare ciò che trova. Ti metti in cammino verso Est e magari raggiungi l'Ovest. Non è importante, adesso. L'importante è mettersi in cammino. Altrimenti non arriverai da nessuna parte. E passerai il resto della tua vita a disprezzarti per ciò che avresti potuto essere e non sei stato. La meta iniziale del viaggio rappresenta solo lo stimolo per partire.

« Io non voglio partire. Voglio scappare! » reagì Tomàs in un soprassalto di sincerità.

Si spensero i bracieri ai lati dello scrittoio.

« La luce! Ridatemi la luce... Se mi diceste chi siete... Se sapessi dove sono... Se potessi riavere il numero di telefono della ragazza che ho perduto... »

« Basta, Tomàs! I *se* sono la patente dei falliti. Nella vita si diventa grandi *nonostante.* »

Preceduto dalla sua voce ispida, il Direttore recuperò il centro della scena, agitandogli una fiaccola davanti al viso.

« Soltanto chi si mette in cerca del proprio talento finirà per trovare anche l'amore. Devi farcela da solo, ma non puoi farcela da solo. Avrai bisogno dei Maestri delle Terme, che ti insegneranno a liberare la tua anima dal labirinto in cui l'hai rinchiusa. Preparati, è tempo di sudare. »

« Da che sono qui non sto facendo altro. Potrei almeno avere un accappatoio più leggero? »

« Lo avrai quando sarai meno pesante tu. »

Stella Maris guidò il paziente fuori dall'ambulatorio, lungo un sentiero ricoperto di ghiaia che sfociava nei pressi di un edificio a forma di cubo. Tomàs ne varcò la soglia con passi incerti e si ritrovò di nuovo al buio, dentro uno sgabuzzino privo di finestre. Le pareti erano talmente basse che fu costretto ad accucciarsi.

È la mia tomba, pensò, e hanno voluto che mi ci seppellissi da solo.

LA PALESTRA

Dove un'istruttrice con la voce di metallo
insegna a rompere le scatole e a salire
sul tappeto dei desideri.

X

All'improvviso la fiamma di un faro lontano riversò nel loculo una luce tiepida. Tomàs si accorse che tutte le pareti erano di vetro e che lo sgabuzzino era completamente circondato dall'acqua.

Fu trafitto da una voce metallica.

« Tu vivi chiuso in una scatola trasparente, costruita dalle tue paure. Rompila e scoprirai di essere molto di più di ciò che credi. »

Alzò gli occhi al soffitto e vide una sirena dai fianchi flessuosi che gli sgranava addosso dei denti cariati da strega.

« Mai fidarti delle apparenze, Tomàs. Il mondo che si trova al di là del vetro potrebbe arrivarti deformato. Le pareti della scatola le ha partorite la tua mente e il loro nome comincia sempre per NON. NON posso. NON ce la farò mai. NON dipende da me, la più estesa di tutte. Ma, se guardi in alto, troverai la quarta, che si chiama NON ci credere. »

« Voglio uscire da qui! »

« Allora fallo. Le pareti del NON sembrano infrangibili, eppure basta che tu decida di oltrepassarle perché si sbriciolino. Non hai altri limiti di quelli che ti sei posto da solo. »

Tomàs si volse verso la vetrata dei NON posso e incrociò lo sguardo poco rassicurante di una murena.

« È il proiettore della tua immaginazione che l'ha prodotta. Puntalo verso di te e scomparirà », disse la bocca cariata.

«Smetti di tormentarmi con le tue allucinazioni!»

«Avanti, proietta l'immagine del te stesso che vorresti essere...»

Quale Tomàs avrebbe voluto essere? L'esperienza del giovane studioso era già stata percorsa con risultati contraddittori. Non gli sarebbe dispiaciuto diventare il campione di un nuovo sport inventato da lui. Il tiratore di coriandoli. O il culturista di mignoli: un tic nervoso lo induceva a piegarli di continuo e l'esercizio li aveva resi assai muscolosi.

Scosse la testa e si avvicinò alla parete dei NON ce la farò mai. Uno stuolo di pesciolini rossi boccheggiava dentro una grotta, intento a ghermire il pulviscolo che danzava intorno. Una pietra rotolò davanti all'entrata, ma molti non se ne accorsero e altri preferirono non pensarci. Soltanto il più piccolo si staccò dal gruppo per affrontare la situazione.

Tomàs scosse ancora la testa. Il pesciolino non si lasciò condizionare dal suo pessimismo: era troppo impegnato ad aprirsi un varco verso la libertà. Aveva già fatto passare il corpo oltre l'ostacolo, quando la coda restò incastrata allo spunzone della roccia. Sarebbe sicuramente morto dilaniato, se un altro pesciolino non fosse sopraggiunto in suo aiuto, spingendolo in mare aperto. Ma nello sforzo il soccorritore non si avvide dello spunzone e vi rimase infilzato al posto del compagno.

Tomàs fu invaso da una voglia acuta di piangere. Che senso aveva la vita, se ogni gesto d'amore si traduceva in un sacrificio?

L'acqua ribollì sotto i suoi piedi. Annunciava l'incombere di un nuovo pericolo. I pesciolini si appiattirono sul fondo della grotta: nella loro prigione boccheggiavano al sicuro. Soltanto quello che si era liberato continuò a volteggiare in mezzo all'oceano. La novità della sua condizione lo rendeva euforico. Preceduta da un sibilo, una balena bianca transitò davanti alla parete dei NON dipende da me. Rivolse al pesciolino solitario uno sguardo ironico e lo inghiottì.

Tomàs si coricò sul pavimento trasparente, specchiandosi negli occhi della balena. Che senso aveva l'universo, se ogni scelta di libertà si traduceva nella morte?

Provò l'impulso irresistibile di rompere il vetro e scomparire dentro lo stomaco di quella creatura primordiale, che per qualche ragione misteriosa non gli incuteva paura. Diede una testata e la parete andò in frantumi, mentre la balena bianca scompariva in un gorgo di bollicine.

Si ritrovò disteso sulle mattonelle di una sala in penombra. Nell'angolo più lontano un pesciolino rosso sbatteva la coda contro i bordi di un acquario.

« La libertà può far male a chi esce troppo in fretta dalla scatola. Per diventare libero fuori, dovrai prima imparare a esserlo dentro. »

Chi aveva parlato? Dal suo punto di osservazione Tomàs riusciva a scorgere soltanto un paio di scarpe da ginnastica. Sollevando il collo, scoprì che appartenevano a due gambe inguainate in una calzamaglia nera. Le spalle squadrate e il viso spigoloso sormontavano un insieme che gli occhi e i capelli, entrambi chiarissimi, si sforzavano inutilmente di ingentilire.

« Sono Uma. La tua allenatrice personale. »

Della strega di prima aveva conservato soltanto il metallo della voce.

XI

Tomàs e la ginnastica si erano guardati in cagnesco per tutta la vita. Gli sarebbe piaciuto chiudere il bottone dei pantaloni senza che si trasformasse in un proiettile ogni volta che si sedeva. Però non era disposto a dilapidare la già scarsa reputazione che aveva di se stesso, ansimando in palestra dietro un'istruttrice scolpita nel marmo di Carrara. Ne aveva frequentata una, molto tempo addietro. Un'aguzzina che gridava «Alza quelle chiappe!» come i sergenti dell'esercito e aveva ignorato il suo corteggiamento discreto per preferirgli l'altro maschio del corso: un recipiente di muscoli e integratori che confondeva Volta con Voltaire e pensava che l'Illuminismo prendesse il nome dall'invenzione della lampadina.

Si guardò intorno. Pur non essendo un esperto del ramo, intuì che la palestra in cui era precipitato non poteva considerarsi all'avanguardia per le attrezzature. Dal pavimento, al posto delle pertiche salivano canne di bambù. E ai bilancieri, anziché i pesi, erano attaccati dei sassi appuntiti.

Uma lo sollevò per le ascelle come un burattino e squadrò il nuovo caso umano che le avevano affidato. Il solito ammasso di emozioni esangui e pensieri flaccidi. Toccava sempre a lei l'opera di sgrossatura. Gli altri Maestri arrivavano dopo, quando il lavoro era stato avviato e l'anima dell'allievo aveva assunto un aspetto meno sgradevole. Con un gesto brusco, eppure pieno di grazia, lo mise giù e gli indicò una stuoia rossa che si snodava lunga e stretta accanto ai loro piedi.

« È il tappeto dei desideri », si limitò a dire.

Tomàs lo scrutò come se fosse stato uno di quegli strumenti di tortura che fanno la gioia dei visitatori di musei medievali.

« Un desiderio d'amore ti ha condotto alle Terme », continuò l'Allenatrice. « Qui ti insegneremo a lanciarlo nell'universo. »

« Ottima idea. Il tappeto volante c'è già, ma non vedo ancora la lampada di Aladino. »

Uma lo gelò con un'occhiata trasparente.

« Questo tappeto è particolare. A muoverlo non sono i muscoli, ma i pensieri. Se ne formulerai di plumbei, il nastro si bloccherà e sarai destinato a cadere. Viceversa, se ti lascerai guidare da un ardore fanatico, incespicherai per eccesso di velocità. »

« E a che cosa devo pensare, allora? »

« Alla gioia. L'unico carburante capace di mettere in movimento il tappeto. Ogni volta che sbanderai, potrai comunque aggrapparti alla maniglia che scende dal soffitto. Ma ricordati: è bollente, non riuscirai a utilizzarla a lungo. Il segreto per arrivare fino in fondo consiste nel mantenere la tua mente in equilibrio. »

« E quanto dovrò starci, su questo trabiccolo? »

« Non staccare mai lo sguardo dalla finestra di fronte a te. È spalancata sul firmamento: appena riuscirai a lanciare il tuo desiderio, là fuori una stella si illuminerà d'oro. »

Tomàs si chiese se quella creatura dalla scorza ruvida avrebbe potuto trasformarsi in un'alleata. Ma gli bastò indugiare sugli occhi chiari di Uma per rinfoderare le sue illusioni. Emanavano fermezza e incorruttibilità. Montò egualmente sul tappeto per mancanza di alternative e per quel progressivo arrendersi alle circostanze che gli uomini saggi chiamano spirito di adattamento.

« Il desiderio! » gridò Uma.

« Come? »

« Perché il tappeto si muova, devi prima scrivere il tuo desiderio d'amore su un foglio immaginario in mezzo alla fronte. »

Il paziente obbedì e sotto i suoi piedi la stuoia incominciò a scorrere.

Tomàs si lanciò all'inseguimento dei propri pensieri: gli confidarono che l'avventura alle Terme si stava rivelando molto più eccitante della sua vita. Il tappeto accelerò e le stelle oltre la finestra si moltiplicarono.

« Stai usando la benzina dell'entusiasmo. Fai attenzione a non esagerare, altrimenti resterai a secco prima della fine. Mancano otto chilometri al traguardo. Otto ancora! » lo esortò l'allenatrice.

Gli occhi fissi sulla finestra, Tomàs si perse nella contemplazione delle galassie e ne assaporò la meraviglia. Il tappeto accelerò.

« La bellezza è un propellente meraviglioso », lo incitava Uma, ma il cuore del suo allievo aveva spalancato i battenti con troppa foga e fu investito da una folata di sospetti.

Fino a quando sarebbe durato l'esercizio? E se si fosse trattato di un castigo? Camminare su un tappeto in eterno! Fuori dalla finestra le stelle di colpo sbiadirono e la sua testa si coprì di sudore.

« La pompa della paura ti sta prosciugando le forze. Richiudila, devi resistere solo otto chilometri. Otto ancora! »

Otto ancora. Quindi non si era mosso di un millimetro. Oppure il traguardo veniva spostato sempre più in là? Una voglia di fuga gli pervase le gambe. Si mise a correre, ma il tappeto seguiva i suoi pensieri e inchiodò.

«Accogli i dubbi come degli amici», suggerì l'Allenatrice. «Però, appena ti distolgono dall'obiettivo, scacciali e concentrati sul desiderio.»

Tomàs immaginò di essere in spiaggia e di danzare sull'orlo delle onde, incontro a una donna senza volto che sorgeva dalle acque. Era il suo modo di desiderare l'amore.

Il nastro riprese a scorrere con lentezza, come se si stesse inerpicando su una salita. E nella mente di Tomàs la spiaggia si trasformò in deserto.

«Che cosa succede?» ansimò.

«Ho aumentato il dislivello. L'universo non ti restituirà il desiderio fino a quando non saprai controllarne gli effetti. Pensa a tutti coloro che si sono persi, benché avessero ottenuto quel che volevano. Perciò prima è necessario che i muscoli del tuo carattere si rinsaldino nelle difficoltà.»

Tomàs tentò di replicare qualcosa, ma un groviglio nello stomaco gli strozzò la voce in un singhiozzo.

«È solo un po' di timore. Rallenta!» consigliò Uma.

Lui passò l'ordine alle gambe e si rese conto di averne perso il controllo.

«Il timore sta diventando paura. Sorreggiti!»

Tomàs si aggrappò alla maniglia bollente che pendeva dal soffitto, ma non resistette e fu costretto a staccarsi.

«Ora stai attraversando il terrore. Respira!»

Aveva il naso bloccato e il diaframma rigido. Spalancò la bocca e inghiottì una manciata di freddo, mentre intorno a lui il mondo si metteva a girare.

«Il dio Pan è in te! Lasciati invadere. È dal panico che scaturisce il coraggio.»

Tomàs scosse la testa e incespicò, rovinando al suolo.

« Mi dispiace, ho esaurito le forze », si scusò con un filo di voce.

« È stato il tuo cuore a crollare. Non hai creduto alle mie parole e hai avuto paura di realizzare il tuo desiderio. »

« Tu non ne avresti? Non so dove sono e incomincio a non sapere più nemmeno chi sono. »

Provava una nostalgia improvvisa per la sua vita passata e istintivamente ruotò la testa all'indietro. Un dolore come di pugnale gli penetrò nelle ossa.

« Torcicollo emotivo », diagnosticò l'Allenatrice. « Colpisce chi rimpiange qualcosa che non ha più, ma che quando aveva non riusciva ad apprezzare. »

Uma distese le mani sulla parte indolenzita e Tomàs si rilassò fino a perdere i sensi. Allora lei lo sollevò da terra e, con la delicatezza di una gatta che prende in bocca il suo cucciolo, lo andò a depositare su una panca addossata al muro. Poi azionò una leva.

Da un'apertura del soffitto spuntò un macigno, che nella forma ricordava un faraglione dell'isola di Capri. Quando Tomàs si ridestò, lo vide sospeso a un palmo dal suo corpo.

« Avanti, allontanalo da te! » ordinò Uma.

« Ma è troppo pesante! »

« Storie. Sei tu che sei troppo debole. Ciascuno riceve in dote soltanto il fardello che può sopportare. Sollevalo! »

« Liberami, ti prego... »

« Perché ti arrendi? Stai sfruttando la minima parte delle tue capacità. »

« Tu sei pazza, questa montagna mi stritolerà! » e starnutì.

« Chi ami di più al mondo, Tomàs? »

La domanda riuscì a spiazzarlo. Pensò a certi libri che

considerava migliori delle persone: per comunicare con loro poteva addirittura fare a meno di aprirli. Ma non era quello il tipo di amore a cui si riferiva l'Allenatrice.

« Io non amo nessuno », rispose. E gli parve la frase più terribile che avesse mai pronunciato.

« Non è vero. Visualizzala! »

Lo scoglio oscillò, spostandosi verso la panca di fronte alla sua. Prima gli era sembrata vuota, ma adesso poteva scorgervi una ragazza sdraiata sopra. Le gambe spuntavano dagli spacchi della gonna e scalciavano l'aria in cerca di libertà. Un velo le copriva il volto, eppure non ebbe dubbi.

Era Arianna e gli stava chiedendo aiuto.

XII

Tomàs si alzò di scatto e si catapultò verso di lei. Per la prima volta percepì di non essere il solito grumo di rancori che recriminava perché il mondo non si dedicava a renderlo felice, ma un uomo davanti alla propria donna da salvare.

Una forza maestosa si impadronì dei suoi pensieri, che la irradiarono a ogni muscolo del corpo. Cinse il faraglione in un abbraccio e, digrignando i denti, lo sollevò di quel tanto che serviva alla ragazza per poter scendere dalla panca.

Appena la seppe in salvo, si rese conto di avere fra le mani uno scoglio gigantesco ed ebbe paura di se stesso. La forza lo abbandonò e il macigno cadde al suolo, dissolvendosi in una cascata di frammenti che piovvero su Arianna fino a seppellirla.

« Non preoccuparti per lei, ora. È tornata nella dimensione da cui l'avevi evocata », disse Uma.

Tomàs era riuscito a convogliare su un obiettivo formidabile l'energia che abitualmente contribuiva a corroderlo. Solo chi era capace di dominarla poteva compiere quel genere di opere che lo scettico definisce trucchi e il semplice considera miracoli.

« La forza che hai sentito pulsare nelle tue vene si chiama amore. Gli uomini la usano poco, ma è lei che muove i pensieri e dilata i gesti al di là dei confini creati dalla mente. Un pensiero senza amore è un veliero senza vento. Puoi lucidarne la superficie, ammirarne le forme. Puoi persino spingerlo a fatica per qualche metro, ma non approderai da nessuna parte. »

Tomàs si riavvicinò al tappeto dei desideri. Voleva ritentare. L'impresa appena compiuta gli aveva lasciato addosso un'ebbrezza incredula, che il ricordo di Arianna faceva scintillare di euforia. Ma quando si ritrovò sulla stuoia, l'entusiasmo cedette il posto al ruminare delle elucubrazioni. Sembrava gli fosse entrata una mucca nel cervello.

Cos'era successo, in fondo? Una strega isterica lo aveva ipnotizzato facendogli credere che i faraglioni scendessero dai soffitti e si lasciassero prendere in braccio come neonati. Se era stato l'amore a scatenare i suoi istinti, perché adesso se ne sentiva di nuovo dolorosamente privo?

Si chiese che fine avesse fatto la ragazza. La sua apparizione fugace era stata uno scherzo di pessimo gusto, ideato al solo scopo di farlo soffrire. Gli avevano negato la ricompensa concessa anche al più derelitto dei Principi Azzurri: stringere fra le braccia colei che aveva appena salvato. Ma, pur ammettendo che Arianna fosse la protagonista della sua favola, il Castello nel quale vivere *per sempre felici e contenti* gli apparve protetto da un fossato di angoscia che lui non avrebbe mai avuto l'incoscienza di attraversare.

« Ora lo sai. Sì, lo sai. L'evento più affascinante che ti possa capitare consiste nel darti un traguardo e nel lottare per raggiungerlo. »

Tomàs sussultò. Era la Voce Che Parlava Dentro, la

stessa che aveva ascoltato per la prima volta sul lettino della Vestale Nera.

« Desidera il tuo traguardo. Sì, il tuo traguardo. Sarà il motore della tua volontà. »

La voce si disperse in mille rivoli. Tentò di sintonizzarsi meglio e riuscì a cogliere l'eco di una parola.

Perdente.

« Finora sei stato un perdente. Sì, un perdente. Colui che sa soltanto ciò che non desidera. Il mondo è pieno di vivi che sembrano morti perché hanno smesso di desiderare. Ma tu puoi ancora cambiare. »

« Non voglio diventare un vincente. Una di quelle facce da predatore che ti squadrano dalle copertine delle riviste. »

« Tu non sarai un predatore, ma uno che sa quello che vuole. Sì, uno che sa. Un gallo da combattimento con un cuore da artista. »

« Detesto la competizione. »

« Ogni spirito creativo la detesta, però è attratto dalla possibilità di esplorare il proprio talento », lo interruppe Uma che, come tutti i Maestri, riusciva a leggergli nel pensiero.

« Basta con questa storia! Il mio talento non esiste. »

« Le cose che non esistono non le hai ancora desiderate abbastanza. »

« Evidentemente ho troppa paura di perderle. »

« La permanenza in mezzo agli uomini ti ha tolto il piacere dei desideri. Ha esaltato solo quelli beceri, convincendoti che i puri fossero impossibili. »

« Questi discorsi non mi incantano più. Le pulsioni del cuore sono un male. Creano un bisogno e il bisogno conduce alla sofferenza. »

« Così tu le hai rimosse per non provare dolore. Ti sei abituato a costruire pensieri da vittima. Bene, è tempo che incominci a creare pensieri da uomo. »

Tomàs perse l'equilibrio e si riattaccò alla maniglia bollente. Il calore gli fece chiudere gli occhi e dentro quel buio vide scorrere i pensieri da vittima che aveva costruito nel corso della sua vita. Marciavano a testa bassa, in fila per uno. Non è colpa mia... È colpa tua... È colpa loro... Ce l'hanno tutti con me... Io non c'entro niente... Nessuno mi capisce... Nessuno mi considera... Non valgo nulla... Perché dovrebbe innamorarsi di uno come me...?

« Immagina una cesta e buttali dentro », suggerì Uma. « Se desideri una cosa e pensi veramente di meritartela, smetti di chiederti perché gli altri non te la danno. Alzati e vai a prenderla. »

Tomàs si staccò dalla maniglia e d'incanto il tappeto accelerò. Nella sua mente il deserto ritornò spiaggia, mentre la donna senza volto risorgeva dalle onde per avvinghiarsi a lui, come una pianta acquatica che andava sorretta, ma alla quale era dolce al tempo stesso sostenersi. Sulle labbra gli fiorì inattesa una parola.

« Grazie. »

Il nastro iniziò a scorrere turbinosamente.

« Otto ancora! » gridava l'Allenatrice.

Soltanto otto chilometri: ce la posso fare, pensò Tomàs.

Ma bastarono otto passi e in un angolo della finestra vide una piccola stella illuminarsi d'oro.

« L'universo ti ha mandato la ricevuta. Il tuo desiderio aveva abbastanza forza per essere accolto », annunciò Uma.

Il vincitore si accasciò sul tappeto, senza staccare lo

sguardo dalla sua stella. Temeva che, se si fosse distratto, gliel'avrebbero portata via. Poi la mucca nel cervello riprese a ruminare. Il desiderio era stato accolto, ma quando si sarebbe realizzato? E come mai la sua voce interiore risuonava così flebile?

L'Allenatrice gli spiegò che il suo desiderio d'amore esisteva già in un'altra dimensione e che si sarebbe manifestato non appena lui fosse stato nelle condizioni di riceverlo. Quanto alla Voce Che Parlava Dentro, era disturbata dalle emozioni che ancora non riusciva a controllare.

«Gli uomini attribuiscono troppo peso alle emozioni, confondendole con i sentimenti. Le emozioni servono a ricordarti in ogni momento il colore dei tuoi pensieri. Ma hanno una natura violenta e breve. Per questo ti lasciano sempre insoddisfatto, alimentando rimpianti e nostalgie. Invece i sentimenti sono un mare profondo e stabile, che evapora solo quando diventa stagnante.»

«Anche i sentimenti hanno un inizio e una fine.»

«Ma se riescono ad affacciarsi sulla bellezza dell'universo, lo spirito infonde in loro il respiro dell'eternità. Quando mai, però, hai permesso alle tue emozioni di diventare sentimenti?»

Uma non ottenne risposta.

«Hai lasciato che venissero stritolate prima di evolversi. E i loro assassini si chiamano assuefazione, scetticismo, incomunicabilità. Dovrai ripulire l'ingresso della tua anima. Ma poiché sei fatto di materia, dovrai ripulire anche il tempio del tuo corpo. Quella che ti parla dentro è la voce distorta dell'intuizione. Tornerà a essere nitida quando sarai nitido tu.»

L'Allenatrice si congedò e sopraggiunse Stella Maris, che gli porse un accappatoio nuovo e un'altra cartolina.

... mi hai salvato... perciò ti salverai...

Prima Pinocchio e la Fata Turchina. Adesso Biancaneve e uno dei sette nani. Che scherzo assurdo era questo?

Benché l'accappatoio fosse più leggero del precedente, Tomàs ricominciò a sudare.

IL BAGNO TURCO

Dove un uomo con gli occhiali scuri
e una donna con il volto coperto raccontano
la loro vita a una bacinella.

XIII

In un'alba livida che tardava a farsi giorno la Vestale Nera condusse l'ospite nello spogliatoio della palestra e lo esortò a ritemprare il corpo sotto una doccia mimetizzata tra le felci.

Appena Tomàs sfiorò le manopole, spilli gelati gli percossero la pelle. Tentò di farle ruotare nella direzione opposta, ma non ottenne risultati apprezzabili, nemmeno quando le spostò avanti e indietro con mosse lievi da scassinatore. Alla ricerca di un rifugio, spinse la porta di fronte alla doccia e si ritrovò in un locale intriso di vapori.

La fontanella al centro della sala sputava un fiotto d'acqua fresca dalla bocca marmorea di un delfino. La evitò. Sentiva il bisogno di mettere alla prova la sua capacità di resistenza e andò ad acciambellarsi in modo goffo, simile a un fachiro coi reumatismi, sulla panca che correva lungo il perimetro del muro, nel punto in cui il fumo era così denso da togliere il respiro.

Si guardò intorno, sforzandosi di parcheggiare i pensieri su qualcosa che addomesticasse la sua ansia. Era nel luogo più elegante in cui gli fosse mai capitato di sudare. I mosaici alle pareti raccontavano la storia delle nozze fra il Cielo e la Terra, che si celebravano ogni notte nel susseguirsi delle maree. Il pavimento a scacchi rifletteva i contrasti pacificati del soffitto, dove un dipinto ritraeva la Luce e la Tenebra, gemelle di colore diverso che si tenevano per mano.

Stava incominciando a rilassarsi quando in mezzo ai vapori apparve un uomo con la capigliatura a coda di cavallo, che portava disegnato in faccia il disprezzo per chi non la pensava come lui. Nonostante la penombra, indossava occhiali da sole. E nonostante l'abbondanza di spazio, venne a sedersi accanto a Tomàs, il quale reagì con una raffica di starnuti.

« Ecco un quasi vivo in questa baracca di morti dentro. Anche se mi sembri ridotto male pure tu », lo abbordò l'invasore.

« Soffro d'allergia. »

« Siamo tutti allergici alla vita. Per questo moriamo. O forse pensi di fare eccezione? »

Tomàs era un individuo pacifico, ma piuttosto isterico. Capace di inchiodare l'auto per non prendere sotto un lombrico, come di aggredire un passante per una risposta un po' scortese. Erano gli sbalzi atroci di un carattere fondato sull'ipersensibilità.

Dedicò all'intruso lo sguardo più antipatico del suo repertorio. Lo riservava solo agli arroganti, agli insolenti e agli ignoranti orgogliosi di esserlo. Disgraziatamente il tizio che alitava sentenze a pochi centimetri dal suo naso si candidava per il primo premio in ciascuna delle tre specialità.

Le mani di Tomàs diventarono pugni. Immaginò di ridurre in poltiglia la faccia del vicino, indugiando con il pensiero sui particolari dell'esecuzione. Quando fu appagato dal lavoro svolto si alzò di scatto e, incassata la testa fra le spalle, imboccò l'uscita con un borbottio di suoni ostili.

Dagli abissi della memoria ripescò la storia dei *voladores*, spiritelli crudeli muniti di antenne che volteggiano intorno agli uomini per nutrirsi dei loro scatti d'ira. Glieli evocava sua madre, ogni volta che faceva i capricci. «Se non la smetti, ingrasserai i *voladores*. E quando saranno diventati forti non si accontenteranno più di mangiarti la rabbia, ma spargeranno i loro semi di cattiveria dentro di te...» Allora si buttava fra le sue braccia e le dava un bacio. I *voladores*, infatti, erano allergici ai baci. Proprio come lui, negli ultimi tempi.

Si congratulò con se stesso: in fondo era riuscito a trattenersi, costringendo gli spiritelli a cibarsi delle briciole. Ma mentre si asciugava il sudore con i lembi dell'accappatoio ebbe la rivelazione improvvisa della propria stupidità. L'uomo dagli occhiali neri era un tipo strambo, però non gli aveva fatto niente. Inoltre sembrava della sua stessa razza. Insieme si sarebbero sentiti meno soli. Infilò le ciabatte e rientrò nel bagno turco, andandosi a sedere accanto al suo problema.

«Sono Tomàs. O almeno lo ero, prima di arrivare qui. E tu chi sei, un quasi vivo o un morto dentro?»

Dietro la muraglia delle lenti scure, l'uomo gli scrutò i piedi con sussiego.

«Che importanza ha? Le tue ciabatte sono insignificanti.»

«Mi sembrano uguali alle tue.»

«Infatti. La vita è una ciabatta. Insignificante perché sempre uguale.»

Tomàs si sentì definitivamente consapevole del suo destino: era stato rapito da una setta di allucinati. L'atmosfera doveva essere intrisa dell'effluvio di qualche droga a cui era refrattario soltanto lui, forse per via del naso chiuso.

Ne ebbe conferma appena fra i fumi del bagno riconobbe la sagoma eterea di Stella Maris. Teneva in grembo un catino di zinco.

« Questa è la bacinella sputa vita », esordì. « Chiunque la prenda in mano viene indotto a parlare la lingua meno pronunciata del mondo. La sincerità. »

« L'unica lingua sincera che conosco è il silenzio della morte », mugugnò l'uomo con gli occhiali da sole.

Tomàs disegnò nell'aria una serie di scongiuri.

« Le assicuro, signore, che la sincerità è un sistema di comunicazione rivoluzionario », rispose con pazienza Stella Maris. « Consiste nel dire sempre ciò che si pensa, senza paura di dirlo e nemmeno di pensarlo. »

« Io non sottovaluterei i benefici dell'ipocrisia. A volte una bugia ben assestata funziona meglio di una carezza », azzardò Tomàs, e starnutì tre volte.

Il suo vicino di panca sostenne di non dare peso a certe sciocchezze. Aspettò che la Vestale Nera si fosse allontanata, poi prese in mano la bacinella sputa vita.

Fu questione di attimi e incominciò a riempirla di un flusso ininterrotto di parole.

XIV

Sputò di possedere un nome che gli era stato imposto da chi aveva commesso l'errore di farlo nascere. Ma in seguito aveva deciso di ribattezzarsi con la parola che racchiude il destino di tutte le vicende umane.

Polvere.

Oltre al nome gli sarebbe piaciuto cambiare faccia. Per questo la nascondeva dietro gli occhiali da sole. Una consolazione modesta per chi da ragazzo si era illuso di cambiare il mondo. L'immaginazione al potere, promettevano i suoi compagni di allora. Invece al potere ci erano andati loro, senza immaginazione e portandosi dietro soltanto l'immagine.

Li aveva divisi in due categorie: poltrona e pennacchio. Quelli di poltrona erano i peggiori. Carrieristi senza scrupoli, ma con la presunzione di non esserlo. Si circondavano di mediocri, privilegiando la fedeltà al talento, l'appartenenza all'indipendenza. E negavano di essere diventati la fotocopia imbruttita dei mostri che volevano abbattere in gioventù. Lui ne provava ribrezzo.

Quelli di pennacchio, invece, gli facevano pena. Divorati dal desiderio di piacere e dal tarlo di apparire, ignoravano che quel pennacchio indossato con tanto compiacimento fosse soltanto polvere, come tutto il resto.

Aveva rimpicciolito i suoi sogni fino a quando era stato possibile contenerli in una baracca sulle rive dell'oceano, dove riparava le tavole da surf senza che nessuno venisse a riparare lui. Si era lasciato alle spalle un matrimonio pieno di tarme e aveva smarrito la mappa dei suoi desideri. La bellezza del creato era un inganno che lo lasciava indifferente. Si sentiva un grumo di catarro nell'enorme starnuto dell'universo e pensava che la rassegnazione non fosse un virus, ma l'unico vaccino in grado di curare l'infezione della vita.

Aveva conosciuto una signora. Si era presentata con una tavola spezzata in due ed era tornata a trovarlo tutti i pomeriggi per un anno intero. Gli parlava degli amori perduti che non le avevano tolto la voglia di sognare. Lui non sapeva cosa dirle, se non che indossava delle scarpe molto belle.

Un pomeriggio la signora non si era fatta vedere. Era rimasto ad aspettarla nella baracca fino a notte alta. L'alba lo aveva sorpreso incatenato ai suoi soliti pensieri. Si era sentito toccare un braccio ed era lei, con i piedi nella sabbia e le mani affondate dentro le scarpe. Molto belle, come al solito.

Si era tolto il giubbotto e gliel'aveva appoggiato intorno alle spalle. Voleva proteggerla dal vento. Inerpicata sulle punte, la signora aveva accostato la bocca alla sua fronte. Ma non era riuscita a resistere a lungo in quella posizione e quando aveva abbassato i calcagni anche le labbra erano scivolate, fermandosi sopra le sue.

Si era lasciato amare per tempo e tempo, finché erano arrivati il sole di mezzogiorno e una coda di clienti con le tavole da riparare. Era stato prima di andarsene che lei glielo aveva confessato. «Scusa se ieri non sono venuta, ma ho ricevuto la visita di un ospite invadente. I medici dicono che si tratta di un tumore.»

Non se l'era sentita di recitare la parte del nobile cavaliere:

« Mi dispiace, sono la persona meno adatta a consolare chi ha paura di morire ». « Io non ho paura di morire », aveva risposto la signora, « ho voglia di vivere con te. »

Si era chiuso nella baracca a riparare tavole, tutto il pomeriggio e tutta la notte, fino a quando la diga del pudore aveva smesso di arginare la piena delle lacrime. Allora era scoppiato a piangere per il destino della signora e per la propria ingenuità. Aveva sempre sostenuto che la speranza era la droga dei mediocri, ma alla fine c'era cascato anche lui, immaginando che l'amore esistesse davvero e camminasse a piedi nudi sulla sabbia, tenendo le mani affondate dentro le scarpe.

Alle prime luci del giorno aveva afferrato una tavola dal retrobottega ed era andato ad aspettare l'onda perfetta. L'aveva cavalcata con maestria, implorando l'oceano perché lo disarcionasse, ed era stato esaudito. Il gorgo l'aveva avvolto in un sudario di acqua catramosa, senza dargli il tempo di inscenare la pantomima di una vana resistenza al destino. Nel chiudere gli occhi aveva rivisto la signora. Era in piedi, davanti alla baracca, e cercava di attirare la sua attenzione sventolando le scarpe verso l'orizzonte.

Si era risvegliato sul lettino di vimini ed era finito anche lui di fronte allo specchio a guardare la sua anima: una vecchia rattrappita, seduta su un'auto con i vetri sporchi e il freno a mano tirato. Poi era caduto dal tappeto dei desideri, mettendosi a ridere in faccia alla finestra trapuntata di stelle spente.

Smise di sputare nella bacinella e tacque.

« Se sei qui, significa che desidererai la signora per sempre », disse Tomàs.

« Non mi annoiare con fandonie consolatorie. Nulla è per sempre, fuorché il nulla. »

Polvere scomparve in mezzo ai vapori, dopo aver gettato il catino sul pavimento. Tomàs si guardò bene dal raccoglierlo, ma non poté fare a meno di notare che era completamente asciutto. Possibile che la vita di un uomo evaporasse così in fretta?

Si ribellò al predominio della sofferenza e, raggiunto il centro della sala, immerse i piedi nella fontana refrigerante. Nonostante il fumo denso gli annebbiasse la visuale, aveva la sensazione di non essere solo e la presenza di altri due piedi dentro la vasca non fece che confermare i suoi sospetti. Ad avvalorarli definitivamente fu il profilarsi al suo fianco della sagoma di una giovane donna.

Aveva il volto coperto da un velo.

XV

« Che personaggio, quel Polvere! » esordì lei, gettandogli la voce al collo come se avesse ritrovato un amico perduto.

« Non è esattamente il mio tipo. »

« Io mi chiedo: come si fa a stare in un bagno turco con gli occhiali da sole? »

« Oppure con un velo sopra la faccia », la rimbeccò Tomàs, irrigidito dall'eccesso di confidenza. Ma la bionda che sedeva accanto a lui sul bordo della fontana non aveva nulla di sguaiato, benché emanasse un'allegria troppo esasperata per non nascondere qualche dolore.

« Se me lo tolgo, prometti che non ti metterai a urlare? »

« Ormai nulla può stupirmi. »

« Nemmeno questo? » E con mossa teatrale sollevò il velo.

Era un viso abbastanza indimenticabile. Aveva occhi di mare e zigomi da predestinata, ma le labbra a forma di cuore rompevano la perfezione dei lineamenti e le donavano una personalità.

« Mi riconosci? »

Tomàs scosse la testa.

« Ti ringrazio per la bugia », continuò la ragazza. « Purtroppo mi riconoscono tutti. E io mi copro la faccia perché non sopporto più gli sguardi di coloro che per strada mi desiderano. »

« Immagino sia un lavoro duro. »

« Ci sono quattro persone a proteggermi, giorno e notte. Soltanto io so quanto mi costano. »

«E ti lasci sfruttare da quattro sciacalli senza ribellarti?»

Lei sgorgò in una di quelle risate che puliscono qualsiasi incrostazione.

«Non faccio la prostituta, ma la diva.»

«Sei un'attrice?»

«Non proprio. Una celebrità della televisione. Ma perché continui a fingere di non saperlo? Io sono Morena, la Figlia del Pescecane.»

Tomàs fissò a lungo i propri alluci nella vasca.

«Mi dispiace. Conosco molti pescecani, ma nessuna delle loro figlie.»

«Impossibile, il mio personaggio compare in tutte le puntate. È la storia del petroliere cattivo con la figlia bellissima che lo odia e per fargli un dispetto si innamora del petroliere rivale, don Demòn. Nella seconda serie Morena fa la pace col padre e scarica don Demòn, ma a quel punto si innamora del figlio.»

«Il figlio di don Demòn?»

«Sì e no. Si innamora del figlio che il Pescecane ha avuto in segreto dalla moglie di don Demòn e che don Demòn ha allevato come suo senza sospettare la verità. Anche il ragazzo non sa nulla, almeno fino a quando lui e Morena non decidono di sposarsi, perché allora la madre... Ma non costringermi a ripetere tutta la trama. La conosci benissimo, chiunque la conosce, come puoi anche solo pensare di non conoscerla?»

Tomàs si massaggiò la testa per scacciare un senso di oppressione non imputabile ai vapori del bagno. In quella donna le parole non riuscivano a tenere il passo dei pensieri e si frantumavano in mille rivoli di entusiasmo che trasmettevano all'interlocutore uno stato costante di ansietà.

« Non ho ancora capito chi è Morena. Tu o il personaggio che reciti? »

« Tutte e due. »

« Ma sei bionda. Perché ti chiami Morena? »

« I capelli sono autentici. Secondo te dovrei tingermi il nome? »

« Sto in una gabbia di matti. »

« Io mi trovo bene, qui. Non ho ancora capito come ci sono arrivata, ma lo scopriremo, vero? Ho avuto un'infanzia meravigliosa, io, e due genitori stupendi che mi hanno insegnato a conquistarmi la vita da sola. Ho attraversato dodici concorsi di bellezza, ventisette provini e trentatré divani-letto prima di diventare quella che sono. »

Benché grattugiasse troppi *io* sopra le frasi, Tomàs dovette riconoscere che era simpatica. Non apparteneva alla categoria delle inarrivabili che indossano le armonie del corpo come una virtù da far pagare a chi non le abbia in dote. Al contrario era una di quelle donne molto belle che trattano tutti con il medesimo trasporto, anche se questo atteggiamento amichevole viene scambiato dagli sprovveduti per disponibilità.

« Io sono una persona straordinaria, credimi », proseguì Morena con bocca fluviale.

« Non ne dubito. »

« E anche Polvere... Polvere! Non trovi sia un nome delizioso? »

« Per un becchino, forse. »

« La prima cosa che mi ha chiesto è stata di dargli un bacio sul collo. »

« Non è certo un tipo che si perde in preamboli. O forse ti ha preso per una vampira. »

« Non capisci. Lui della forma se ne infischia. Mi ha

detto: poiché tutto è uguale a niente, darmi un bacio sul collo o non darmelo che differenza fa?»

«E tu gliel'hai dato?»

«Io... Uh, che cos'è questa ciotola? Ne ho una simile anch'io, a casa... Magari però non è proprio una ciotola. È un vaso da notte... O un'insalatiera?»

Morena prese in mano la bacinella sputa vita e la sua lingua di colpo rallentò.

XVI

Sputò di essere nata in una discarica e cresciuta fra le strade di una periferia ostile, con una madre così grassa da non poter passare attraverso la porta della loro catapecchia e un padre alcolizzato che agitava mani sempre troppo lunghe e appiccicose.

A nove anni era riemersa da un bidone della spazzatura stringendo il dépliant di una pasticceria che sfornava il bignè al cioccolato più fondente del mondo. Aveva pensato fosse la pubblicità del paradiso. Nelle notti fredde si addormentava con il dépliant come coperta e sognava angeli custodi a forma di bignè.

In un pomeriggio di primavera era sfuggita alle grinfie del padre e aveva attraversato la città fino alla pasticceria. Il bignè troneggiava in mezzo alla vetrina. Si era confusa fra i clienti per ghermirlo, ma la commessa era stata più lesta ancora: aveva ghermito lei, urlandole ladra.

Nel primo e inconsapevole saggio di recitazione della sua carriera, aveva risposto con voce offesa che lei poteva concedersi qualsiasi genere di lusso, compreso quello di pagare. Mentre faceva finta di cercare i soldi dappertutto, si era sentita toccare una spalla. «Ti è caduta questa, ragazzina.» E un vecchio le aveva messo in mano una banconota.

Era un insegnante in pensione, vedovo e senza figli. Cieco dalla nascita, ma con un cuore che ci vedeva benissimo. Da quel giorno si era assunto il compito di educarla.

Le aveva insegnato la bellezza nascosta fra le pieghe dell'universo e rivelato il segreto dell'esistenza, che secondo lui si trovava nella prima partita di calcio dell'umanità, giocata dalle squadre di due popoli antichissimi. Gli Ittiti e gli Amorrei.

Gli Ittiti erano molto più forti e gli Amorrei si ritrovarono subito in svantaggio. Ma, anziché gettarsi all'attacco per tentare la rimonta, preferirono asserragliarsi dinanzi alla propria porta, a difesa della sconfitta. Solo quando gli avversari ebbero esaurito le forze, guizzarono in avanti come la testa di un cobra dalla cesta dell'incantatore. Lo fecero una prima volta, e fu il pareggio. Una seconda, e fu la vittoria. I poemi dell'epoca lodavano la saggezza degli Amorrei, che per aver saputo limitare le dimensioni di una disfatta senza rinnegare la loro natura erano approdati alla più memorabile delle conquiste. Quella di se stessi.

Per molto tempo aveva creduto che la partita fra Ittiti e Amorrei si fosse disputata davvero. Ma anche dopo aver appreso che era sgorgata dalla fantasia del professore cieco, non aveva mai smesso di applicarne la lezione. Era sopravvissuta ai rovesci della gavetta, finché il personaggio della serie televisiva che portava il suo nome l'aveva tolta dall'anonimato e trasformata in una donna ricca e famosa. Ma avrebbe presto imparato che difendere la sconfitta era assai più semplice che proteggersi dal successo.

Alla morte del suo benefattore aveva fatto naufragio fra le esagerazioni, ignorando il senso del limite per andare alla scoperta di emozioni estreme che le producessero scariche di adrenalina. Si era cercata nell'alcol e nella droga, ma non aveva trovato che equivoci e illusioni. Aveva divorato e vomitato vassoi interi di bignè, inseguendone uno dal sapore perduto. E aveva amato uomini capaci soltanto di sfruttarla. Come tutti coloro che hanno ricevuto poco affetto durante l'infanzia, anche lei era attratta dalle persone che promettevano di farla soffrire.

Aveva imparato a nascondere la sua disperazione dietro una parlantina da funambola, perché alla lunga la gente si stanca di chi è sempre triste. Era stata in cura da uno psicanalista, fino a quando la sua segretaria e unica amica l'aveva trascinata alle riunioni di un movimento religioso. La preghiera ripetitiva aveva placato, almeno in parte, la sua smania, ma l'allentarsi dei ritmi si era mutato in depressione. Aveva incominciato a uscire di casa con un velo per proteggersi dagli occhi indagatori della gente. Proprio lei, che un tempo adorava la popolarità, adesso ne provava terrore.

Aveva persino trovato la forza di troncare la storia con il suo regista, Mokò, un ubriacone molesto al quale da tempo chiedeva un matrimonio, un figlio e un ruolo meno imbarazzante, senza ottenere mai altro che promesse nebbiose. Per potersi fidare di lui aveva dovuto far finta che fosse diverso da quello che era. La loro storia si era sgretolata come una noce fra le mani di un gigante. Erano lava e mare, cose diverse che incontrandosi facevano molto vapore. E in quel vapore lei si era smarrita. Perciò aveva preferito chiudere l'amore in un cassetto, gettando lontano la chiave.

Di caduta in caduta, era scivolata dal pontile di un transatlantico durante la crociera annuale con i fan. Ricordava ancora le urla lanciate dalla sua segretaria, mentre lei precipitava in acqua. Prima di perdere conoscenza aveva pensato al professore cieco, l'unico affetto sano della sua vita, ed era stata invasa dal desiderio di un uomo del quale potersi finalmente fidare.

Arrivata alle Terme aveva visto la sua anima dentro lo specchio: una bambina con le ginocchia sbucciate che continuava a cadere dal balcone perché rifiutava di aggrapparsi alla ringhiera, nel timore che fosse la sbarra di una gabbia. In palestra era cascata più volte dal tappeto, prima di riuscire a effettuare il lancio del suo desiderio.

« Questa è la mia vita », concluse. « L'ho appena dichiarato in un'intervista: ho le ginocchia sbucciate, ma se tornassi indietro, rifarei tutto. »

Smise di sputare nella bacinella e tacque.

Tomàs le rispose con un attacco pirotecnico di starnuti che li costrinse a riparare nello spogliatoio, dove Morena si gettò su un vassoio di banane.

« Non sopporto quelli che dicono: se tornassi indietro, rifarei tutto », la apostrofò lui, appena si fu ripreso. « Io, se potessi, della mia vita passata cambierei parecchie cose. Vuoi che ti abbozzi una lista? »

Lei aveva la bocca troppo piena per opporsi.

« Cederei volentieri la mia adolescenza glaciale in cambio di un modello più riscaldato. Baratterei la mia laurea con un viaggio di cinque anni intorno al mondo. E al ritorno, invece di dare ripetizioni di greco antico a ragazzi che lo detestano, e sorbirmi i lamenti dei loro genitori che detestano me, metterei un tavolino per la strada e leggerei Omero a tutti coloro, giovani e vecchi, che avessero voglia di ascoltarlo. »

« E l'amore? » chiese Morena, facendosi largo fra le bucce.

« Lo prenderei a morsi, senza appesantirlo con la costruzione di qualcosa di durevole. Smetterei di inseguire l'impossibile e mi innamorerei a tempo determinato, come tutti. Cavalcando le emozioni fin quando resistono, per poi staccarmene senza rimpianti, perché nessuna storia può durare per sempre.»

«Devi avere avuto un problema molto serio con la figura del padre.»

«Tu anche con tutte le altre», replicò lui stizzito. «Secondo me a buttarti in acqua è stata la tua segretaria. Era gelosa di te e forse anche un po' esasperata dalle tue chiacchiere. Fossi stato un giudice, le avrei concesso le attenuanti. A meno che avesse una tresca con il tuo regista. In quel caso avrei concesso le attenuanti a lui, se vi avesse buttato di sotto tutte e due.»

«Hai visto troppi melodrammi in televisione.»

«Però mi sono perso il tuo. E questo proprio non ti va giù, vero?»

Morena stava per dire qualcosa di spiacevole. Ma resistette alla tentazione e si inginocchiò davanti al vassoio, attaccando una litania di frasi oscure.

«Stai bene?» si preoccupò Tomàs.

Ebbe modo di ammirare la sua schiena e di contare le ciocche di capelli che le ricadevano sulle spalle, prima che la bionda si degnasse di rispondergli.

«È un mantra d'amore che pronuncio per entrare in contatto con la zona più profonda del mio essere.»

«Preghi sempre davanti a un cesto di banane?»

«Lo faccio dove capita. È rilassante. Ogni volta che mi viene voglia di urlare, mi inginocchio e prego.»

«E quando, ti viene voglia di urlare?»

«Praticamente di continuo», rispose Morena, liberando una delle sue risate contagiose.

Si spalancò la porta dello spogliatoio e comparve Polvere, con gli occhiali da sole appannati e la solita espressione di disgusto appesa alla bocca.

«Appena avete finito di spassarvela, là fuori ci sarebbe un mostro che chiede di voi.»

LA TISANA DELLA VOLONTÀ

Dove gli ospiti delle Terme imparano a nutrirsi di libri chiari
e si rilassano con i rac-canti di una creatura
a forma di anfora.

XVII

Lungo la parete orientale del chiostro una lingua di luce illuminava i contorni di un essere indefinibile. Aveva la fronte a uovo, le gote glabre e un collo da cigno avvitato al seno prosperoso di una matrona. L'addome gonfio e i fianchi larghi, che una tunica rossa conteneva a fatica, ricalcavano le forme panciute di un'anfora. Fra le mani sottili reggeva un vassoio, sul quale giacevano in equilibrio perfetto due pile di libri, tre tazze e una teiera.

Disse il suo nome, Andrea, ma più che altro lo cantò. La voce, a cui sarebbe stato arduo attribuire un sesso, emanava vibrazioni di flauto. Le parole gli uscivano dalla bocca simili a un corpo di ballo. Volteggiavano nell'aria e ricadevano a terra senza fare rumore.

« È il solstizio d'inverno, metti in caldo il tuo seme. Come il sole riposi per tornare più forte. Con la vita ti sposi e risorgi da morte. »

Mostrò agli ospiti tre lettini disposti in cerchio sotto un tetto di querce. Li invitò a distendersi e a respirare con le orecchie il ritmo della natura. Poi tacque e l'unica musica furono il fruscio delle fronde e il mormorio dell'acqua.

Polvere rimase a braccia conserte in atteggiamento di sfida. Morena cadde in ginocchio e si dedicò al biascichio delle sue formule. Soltanto Tomàs accettò di sdraiarsi, senza tuttavia riuscire a distogliere lo sguardo dall'uomo ad anfora. Lo sorprese ad accarezzare le due pile di libri, divisi in base al colore delle copertine: i chiari da una parte, gli scuri dall'altra. Andrea incrociò il suo sguardo e sorrise.

«Alla mensa di un sapiente non dovrebbe mancar niente. Libri scuri per scavare, libri chiari per volare.»

E narrò la favola di Acaro.

Acaro era un bambino affamato di vita. Ogni mattina a colazione mangiava due libri, uno salato e uno dolce. Il libro salato aveva la copertina scura e raccontava tutto il male del mondo. I suoi ingredienti erano le tragedie, i soprusi, le crudeltà. Il libro dolce, invece, aveva la copertina chiara e sapeva di miele. Parlava di sogni, di amore, delle antiche verità che l'uomo aveva dimenticato.

Acaro cresceva sano e sereno. Ma una mattina non trovò più sulla tavola la razione quotidiana di pagine al miele. Per diventare adulto è dei libri scuri che hai bisogno, gli spiegarono i genitori, da oggi mangerai soltanto quelli. La nuova dieta fu anche una necessità. I libri chiari erano più difficili da trovare, perché erano più difficili da scrivere. Il bene non si lascia raccontare volentieri: se si esagera col miele provoca nausea.

Perciò Acaro incominciò a mangiare soltanto il male. Conobbe la cattiveria dell'uomo in ogni sua forma, divorò con rabbia la descrizione compiaciuta di ogni dolore. Ma dopo qualche tempo, anziché tendersi come le corde di un arco, i suoi muscoli si afflosciarono e divenne un bambino grassoccio e molle. L'umore era sempre basso, e rassegnati i pensieri. Non si fidava di nessuno, eppure da tutti veniva ingannato. Aver conosciuto l'ingiustizia nei risvolti più biechi gli aveva tolto la volontà di combatterla. Si rinchiuse in un bozzolo opaco di cinismo finché smise completamente di mangiare. Proprio lui che era stato grasso, si ridusse a un fagotto d'ossa che vagava per casa come un sonnambulo. I genitori non potevano aiutarlo: erano sonnambuli anche loro.

Una mattina in cui rovistava in soffitta alla ricerca di qualche sapore che gli impressionasse il palato, vide brillare una copertina chiara. Apparteneva a uno dei suoi vecchi libri. Ricominciò a sgranocchiarlo e, frase dopo frase, il suo viso riprese colore. Fu così che Acaro imparò a digerire la vita. Perché i libri scuri ti insegnano ad affrontarla. Ma solo quelli chiari ti ricordano che è trasformabile dai sogni.

Nel chiostro risuonò l'applauso ironico di Polvere.

« Come possono i libri chiari dare un senso alla vita, dal momento che la vita non ne ha alcuno? Quelli che tu chiami libri scuri si limitano a denunciare questa ovvia verità. Se poi i gonzi li trovano deprimenti, ingurgitino pure le tue favolette. Neanche loro riusciranno a scampare alla morte. »

Andrea appoggiò per terra la pila dei libri scuri.

« Questi, ho capito, li conoscete già. Ma ora basta con le fiabe, serve una storia vera: la tisana della volontà. »

Armeggiando con la teiera, versò del liquido perlaceo nelle tazze.

« È un infuso di giglio, scenderà nella gola e sgorgando nel cuore sarà vita e parola. »

Porse loro le tazze, aprì uno dei libri chiari e incominciò a rac-cantare.

XVIII

IL RAC-CANTO DI NICOLE

Nicole era bianca e sudafricana
molto di rado mostrava il viso
sguardo di ghiaccio labbra sottili
e luccicante il suo sorriso.

Di gusti semplici, amava i piaceri
che incontrava lungo la via
il nuoto il mare le onde i tuffi
il pesce gustato in compagnia.

E fu proprio durante una cena
che conobbe il bell'Australiano
poi quando lui se ne tornò a casa
lei per raggiungerlo ideò un piano.

Si tuffò in acqua con grande schiuma
mentre il suo cuore faceva un voto
pur di non perdere quell'amore
sarebbe andata in Australia a nuoto.

Non le credettero i suoi amici

menti geniali, sommi scienziati
che dell'amore la legge eterna
da troppo tempo si eran scordati.

Che i maschi siano pigri e distratti
lo riconobbero come normale
però Penelope mai insegue Ulisse
la femmina resta creatura stanziale.

« Chissà che cosa le frulla in testa »
così sparlarono della ribelle
e per spiare la sua avventura
un chip le misero sotto la pelle.

Nicole nuotava lungo la costa
per nove mesi durò il suo viaggio
ma ogni volta che si perdeva
guardava le stelle e prendeva coraggio.

Quando l'Australia le fu davanti
lui se la vide arrivare addosso.
Pensò: « Che faccio, la bacio o scappo? »
poi si sfiorarono e fu commosso.

Spero di avere forato la scorza
nei vostri cuori trovato scalo
dimenticavo soltanto di dire:
Nicole la bianca era uno squalo.

Morena liberò la tensione in un pianto.

«Questa storia parla di me! Voglio metterla in scena. Io, la Figlia del Pescecane, sarò quello squalo.»

«Forse lo sei già stata in un'altra vita», abbozzò Tomàs senza crederci troppo.

«Forse lo sei anche in questa», ghignò Polvere.

Andrea si portò un dito alla bocca.

«La parola è degli uomini, ma il tesoro andrà disperso finché fiato darete a suoni vani, sparpagliandoli nell'universo. Nessuna tisana può scendere al cuore, se fuori la sputate come se non avesse valore.»

«Veramente io stavo usando il linguaggio della sincerità», protestò Morena, asciugandosi una lacrima.

«Voce hai dato a una promessa, non l'hai fatta maturare. Così vanno le parole, senza mai lasciare traccia. Ne rinnegherai molte in futuro, perderai spesso la faccia.»

«E in quale modo dovrei pronunciarle, allora?»

«Non lasciare che ti cadano dalla bocca come bava. Falle uscire come latte, rotolare come lava. Di te stessa sii all'altezza, non scordare la lezione: solo il Verbo è la salvezza, la parola è perdizione.»

«Ha trovato un modo elegante per dirti che parli troppo», la rimbeccò Tomàs. Ma Andrea aveva qualcosa da cantare anche a lui.

«Nasce in testa la parola e ha bisogno di calore. È per questo che dovresti riscaldarla in fondo al cuore. Solo quando l'emozione si trasforma in sentimento il tuo Verbo avrà la forza di creare un firmamento.»

Nel silenzio che seguì, Tomàs pensò a tutte le parole che gli uomini pronunciavano nel corso della vita senza lasciarle passare dal cuore. Le risposte superficiali, le promesse non mantenute, i pettegolezzi alimentati dalla malizia. Le immaginò come altrettanti aquiloni che la loro insipienza aveva scaraventato al suolo: uno sopra l'altro formavano una montagna così alta da oscurare il sole.

La voce inconfondibile del Direttore rimbombò improvvisa alle sue spalle.

« Allora, Tomàs, hai compreso finalmente il tuo talento? »

LA VASCA DELL'IO

Dove Tomàs beve la propria anima,
ripulisce il passato e si ritrova
un serpente sulla pelle.

XIX

L'interpellato sobbalzò. La pazienza, ecco qual era il suo talento. Aveva sollevato faraglioni immaginari, ascoltato parole versate in una bacinella, bevuto storie di squali innamorati. E non era ancora impazzito.

«Continui a conoscerti poco», disse il Direttore.

«Ho lanciato il mio desiderio d'amore nell'universo e aspetto che mi venga restituito. Non era questo che volevate da me?»

«Qualunque amore che ti distogliesse dalla ricerca del tuo talento non sarebbe un sentimento autentico.»

«È quel che dicevo sempre io al mio fidanzato, quando smorzava le mie velleità artistiche», intervenne Morena.

«Non basta amare con la mente e con il corpo. Occorre che entrambi confluiscano nel cuore, là dove si trova il vostro talento», continuò il Direttore. «L'amore è uno e trino: idea, forza, sentimento. Filos, Eros, Agape.»

Nel pronunciare le tre parole, si toccò prima in mezzo alla fronte, poi sotto l'ombelico e infine incrociò le braccia sopra il petto.

«L'Agape è la camera del cuore... È tutta la vita che provo a raggiungerla», mormorò Morena.

«Il dolore la avvolge come una gabbia. Hai cercato qualche scorciatoia per eluderlo, ubriacandoti di esperienze estreme e sensazioni sempre nuove. Ma hai fallito, perché nessuno può ingannare il dolore.»

« Sono le prime parole sensate che ascolto qui dentro », mugugnò Polvere.

« Esiste un solo modo per uscirne. Allentare le sbarre della gabbia, poi piegarle e passarci attraverso. »

« E una volta aperta la gabbia, troveremo l'amore? Non capisco... » intervenne Tomàs.

« *Come dentro, così fuori*... Quando vi sarete riuniti con la vostra anima, allora potrete compiere la stessa operazione anche all'esterno, ricongiungendovi all'anima gemella. L'amore è una meta che si raggiunge in due, a condizione di aver trovato la strada da soli. »

Consegnò loro dei nuovi accappatoi.

« È l'ora! Ha inizio il percorso delle vasche. Vi calerete nelle acque termali e sarete sottoposti a prove splendide e terribili, che vi spingeranno a risvegliare la forza che giace inerte dentro di voi. »

Uscirono dal chiostro e videro fiocchi di neve danzare nell'aria tersa. Benché fossero precipitati al fondo dell'inverno, gli accappatoi riuscivano a difenderli dal freddo. Sotto un cielo d'asfalto, avanzò verso di loro un uomo con la barba bianca, talmente lunga che sfiorava terra. Aveva il sorriso di un bimbo, i capelli di un vecchio e nelle pupille il raggio di mille soli. Ogni volta che apriva gli occhi era come se le fiamme di un fuoco antichissimo squarciassero l'oscurità.

« Noah, medico delle acque », lo presentò il Direttore. « Nessuno meglio di lui ne conosce i poteri curativi. Poiché è molto saggio, è anche molto silenzioso. Ma ogni sua frase sarà una sentenza che parlerà al vostro cuore. »

Noah chinò il capo in segno di ringraziamento e invitò le anime a imboccare con lui un sentiero che si dipanava fra due muretti di neve. Tomàs e Morena ne raccolsero alcune manciate e se le lanciarono addosso. Per un attimo tornarono ad affacciarsi al davanzale della loro infanzia, quando dopo una nevicata si riempivano gli occhi con il bianco che imponeva il silenzio a tutte le cose.

Il sentiero sfociava in un bosco di querce ricoperte dal vischio. Al riparo delle piante spiccavano tre vasche a forma di L, dentro le quali gorgogliava una brodaglia rossastra. Il Medico delle Acque fece cenno ai pazienti di immergersi.

«È un ordine?» chiese Polvere, atteggiando le labbra a una smorfia.

«Non obbedire mai. Obbedisciti», rispose Noah.

L'uomo con gli occhiali da sole entrò con indifferenza nella pozza più vicina. Morena si tuffò strillando in quella di centro, ma quando riemerse aveva già iniziato a lamentarsi: il liquido le pizzicava la pelle. Tomàs, che aveva abbozzato un passo in direzione della pozza più lontana, ne fece subito due indietro.

«Non so nuotare», bofonchiò.

Il Medico delle Acque scosse la barba con dolcezza.

«La rovina non sta nell'errore che commetti, ma nella scusa con cui cerchi di nasconderlo.»

Un'altra sentenza. Incominciava a trovarlo insopportabile.

«Per quale motivo dovrei buttarmi volentieri in questa zuppa?»

«Non tutto ciò che vale costa. Ma tutto ciò che costa vale.»

Attingendo alle sue riserve di audacia, che non erano sterminate, Tomàs si sedette sul bordo della vasca e tentò di infilarvi un alluce. Il suo piano era semplice ed efficace: si sarebbe calato un centimetro alla volta. Disgraziatamente il livello dell'acqua era troppo basso per riuscire a toccarne la superficie da seduti. Si rialzò di malumore, osservando la melma ostile sotto di lui. Gli sembrava la palude dell'inferno.

«La vera scelta non è mai tra il fare una cosa e il non farla. Ma tra il farla o non farla per coraggio oppure per paura», disse ancora Noah.

Tomàs rimuginò le sue parole. Pensò a tutte le persone che stavano insieme senza amore, per paura della solitudine. E a quelle che si amavano senza stare insieme, per paura di sacrificare la libertà. Due scelte in apparenza opposte, ma che conducevano entrambe al fallimento perché generate dal medesimo impulso di vigliaccheria.

Si chiese che cosa lo avesse indotto negli ultimi tempi a scappare dalle donne. L'eroismo di una rinuncia o il timore di una sofferenza? Il racconto di Morena sulla difesa della sconfitta dimostrava che anche le rinunce potevano essere ispirate dal coraggio. Se era sicuro che fosse sbagliato andare incontro all'amore, aveva fatto bene a tenersene alla larga prima di provocare danni maggiori. Ma ne era sicuro?

Cercò una risposta nel suo cuore e non la trovò. Immaginò una vita immobile, in cui non si sceglieva niente e ci si lasciava sballottare dalle decisioni altrui. Non dovette fare troppi sforzi di fantasia: era stata la sua. Guardò l'acqua scura che gli scorreva sotto i piedi. Adesso l'inferno non sembrava più la palude, ma l'essere condannati a guardarla in eterno.

Le gambe scattarono in avanti e Tomàs le trattenne solamente con uno sforzo di volontà. Se si fosse buttato con quello stato d'animo, lo avrebbe fatto per obbedire al ricatto di un'altra paura.

Gli ritornò alla mente la vacanza dei diciott'anni, quando lui e il suo migliore amico si erano invaghiti di due sorelle che abitavano dall'altra parte dell'oceano. A differenza dello squalo Nicole, erano rimasti abbarbicati alle sottane di casa, limitandosi a tendere il filo tenue di una corrispondenza di cartoline che si era esaurita con il sopraggiungere dell'inverno.

Mentre l'amico, però, aveva archiviato in fretta l'avventura, consapevole di non esserne troppo coinvolto, lui si era bloccato dinanzi all'inquietudine che gli procurava l'ignoto. Se avesse inseguito quell'amore immaturo sarebbe andato incontro a una delusione probabile, ma avrebbe messo in moto la sua vita. La meta iniziale di un viaggio rappresenta solo lo stimolo per partire, aveva detto il Direttore.

Fletté le ginocchia per prepararsi al tuffo e iniziò il conto alla rovescia più pavido del mondo: meno cento... meno novantanove... Giunto a meno cinquanta cedette allo sconforto e si interruppe.

«Se vuoi fare un passo in avanti, devi perdere l'equilibrio per un attimo.»

Era Noah e gli stava porgendo un calice ricolmo di liquido rosa. Tomàs lo annusò con circospezione. Sembrava vino, vino buono. Gli bastò tracannarne un sorso e le sue difese cedettero.

Cadde come un blocco di ghisa nell'acqua limacciosa. Subito il fuoco gli divampò sulla pelle: i pori sembravano i crateri di un vulcano in eruzione. Commise l'errore di grattarsi e gocce ostili gli piovvero negli occhi, accecandoli di dolore.

Appena fu in grado di riaprirli, fra i rami di vischio scorse un cartello.

VASCA DELL'IO

Contiene le sostanze dentro cui sguazzavi nel ventre di tua madre. L'anima è l'insieme dei liquidi del corpo. Sta all'uomo come l'acqua alla terra e la linfa alle piante.

Attenzione: trattandosi di una soluzione concentrata, i processi di cambiamento potranno risultare particolarmente rapidi.

Sentì un gonfiore sotto le ascelle e, quando trovò la forza di guardarle, si spaventò: erano ricoperte di bolle violacee.

XX

Immerso fino alla cintola nella vasca dell'Io, Tomàs alzò lo sguardo verso il cielo di caffelatte e lo maledisse per i bubboni che gli andavano esplodendo dappertutto, persino fra i peli delle braccia.

«Come dentro, così fuori», sentenziò il Medico delle Acque.

«Sguazza nelle mie viscere, questa spazzatura?»

«Ogni tempio è un corpo, e ogni corpo un tempio. Va purificato.»

«Un tempio, io? Al massimo una cappella sconsacrata.»

«La verità non viene a galla finché non la osservi in profondità.»

Noah si diresse verso le altre pozze e il paziente rimase in compagnia di uno sconosciuto che gli incuteva scarso rispetto, ma parecchio timore. Se stesso.

Staccò i piedi dal fondo della vasca e incominciò a galleggiare con gli alluci a prua e la pancia a pelo d'acqua come il ponte di una portaerei. Lo sciabordio fu sovrastato da un suono interiore che lo rassicurò. La Voce Che Parlava Dentro era tornata nitida.

«Immagina di essere davvero un tempio. Sì, un tempio. La tua testa è l'altare e gli emisferi del cervello sono i candelabri in mezzo ai quali arde il fuoco dello spirito, che neanche la morte potrà estinguere.»

«I candelabri del mio cervello sono spenti da un pezzo.»

«Ricorda che cosa ti è stato detto a proposito dell'amore. Sì, l'amore. Scende dalla testa, lungo la navata centrale, fino alle colonne delle gambe. E lì diventa acqua. Acqua di fuoco.»

«Preferisco quella di frigo.»

«L'acqua di fuoco è l'inferno in cui galleggi. Sì, il luogo in cui gli amori provvisori si consumano e muoiono. Ma dopo la discesa agli inferi il fuoco potrà risalire alla cappella più preziosa del tempio, la camera del cuore, dove si trasformerà in luce. Il suo nome è Agape, l'amore che non muore.»

«Queste pustole sulla pancia sarebbero l'amore che non muore?»

Non poté fare a meno di pensare ad Arianna, ma si rifiutò di paragonarla a una pustola.

«Hai capito benissimo», insistette la Voce. «Sì, benissimo. Le umiliazioni della vita hanno intasato il passaggio, ma tu ora puoi ripulirlo con il nettare che si trova nelle tue viscere.»

«Non ho alcuna intenzione di ingurgitare altre pozioni magiche.»

«Nella vasca dell'Io ciascuno beve la propria anima. Sì, l'anima. Un suo sorso ti guarirà.»

«Impossibile. Qui la vita scorre troppo in fretta per essere vera.»

«E se fosse questa la vita vera? Sì, la Vita. Alle Terme la legge dell'universo è libera di dispiegarsi senza il freno inibitore dei pensieri umani.»

Tomàs riaprì gli occhi: le escrescenze gli avevano invaso anche il dorso delle mani. Con un sospiro di resa avvicinò i palmi a conca e li immerse nell'acqua di fuoco. Impiegò tempo e tempo a combattere contro il disgusto, ma alla fine si portò il liquido alle labbra.

La spremuta della sua anima precipitò attraverso la gola, lasciandogli in bocca un retrogusto acido. Il prurito si arrampicò lungo il corpo e Tomàs ebbe la sensazione che qualcuno gli avesse calato una maschera di latte sopra la faccia. Appena il biancore si dissipò, scorse davanti a sé cinque pugnali. Ostruivano il passaggio, oscillando sulla superficie con le punte rivolte verso l'alto.

La verità non viene a galla finché non la osservi in profondità, aveva sentenziato Noah.

Infilò la testa sott'acqua e si ritrovò immerso nel proprio passato. Sul manico del primo pugnale gli apparve il volto severo di suo padre. Era il giorno della finale del torneo di pallacanestro della scuola e Tomàs si sentiva nervoso per via della pioggia, in realtà perché detestava la competizione. Quando aveva gonfiato il primo canestro con un tiro sbilenco, si era girato verso la tribuna in cerca di consensi, ma suo padre non era ancora arrivato. L'allenatore gli aveva urlato di correre e lui si era offeso. «Corrano gli altri, io devo gonfiare canestri.» L'allenatore lo aveva sostituito con un brocco, che però correva tantissimo. Tomàs si era rifiutato di uscire e avevano dovuto spingerlo fuori a forza. Nel raggiungere gli spogliatoi, prendendo a calci qualsiasi oggetto gli intralciasse il cammino, aveva lanciato uno sguardo ostile verso la tribuna: adesso suo padre era lì, in prima fila, con sopracciglia che grondavano riprovazione.

Serrò le palpebre per lenire il bruciore del ricordo e la bocca urtò il manico del secondo pugnale. Avvertì sulla lingua un sapore antico, quello del suo stesso sangue. Da bambino era stato in ospedale per un prelievo e una fattucchiera travestita da medico gli aveva punto un dito. Temendo di non avere succhiato nettare a sufficienza, gli aveva bucato una seconda volta il polpastrello. Tomàs si era portato la mano alla bocca ed era svenuto. Al risveglio aveva visto la fattucchiera prendersi gioco di lui con le infermiere. Avrebbe voluto ucciderla a colpi di siringa. Invece per la vergogna era scappato.

La bocca si riempì di sale e il manico del terzo pugnale gli insinuò nelle narici l'alito del suo compagno di banco. In classe lo chiamavano Autan perché puzzava di insetticida sin dalla mattina, neanche se lo spalmasse sulle fette biscottate a colazione. In realtà a dargli quell'odore erano le medicine. Autan parlava poco e faceva facce strane, così tutti dicevano che era matto. Tutti tranne Tomàs. Lui lo sentiva libero. Una mattina il professore più perfido della scuola lo aveva interrogato, ma ad Autan non erano uscite bene le parole. «Sei un asino», gli aveva urlato il professore, «voglio sentirti ragliare.» Il ragazzino aveva abbassato gli occhi ed era rimasto zitto. Quel sadico aveva insistito: «Ti ho ordinato di ragliare! Hi-ho! Hi-ho!» L'intera classe aveva scaricato la tensione in una risata. Anche Tomàs. Ma quando Autan aveva cercato il suo sguardo, gli era partito uno starnuto.

Il naso si chiuse di colpo e l'udito divenne più intenso, portandogli il fruscio del quarto pugnale. Un'eco di voci stridule che ripetevano: «Povero bambino!» Dopo lo sfascio della sua famiglia aveva cercato affetto e non pietà fra le mamme dei suoi compagni. Però nel migliore dei casi era stato accolto come un amore periferico, che non poteva ambire al centro già occupato dei loro cuori. Idealizzava i focolari degli altri, ma ogni volta che aveva provato a ritagliarsi uno strapuntino accanto alla fiamma si era visto accettare unicamente come pretesto per manifestazioni estemporanee di bontà.

Gli orecchi gli si tapparono per l'imbarazzo. Confidava

ormai soltanto nelle mani. Le sentì afferrare la lama del quinto pugnale. Aveva la consistenza di una buccia di pesca e gli restituì il ricordo di un collo di ragazza accarezzato agli albori della sua adolescenza, tra i fuochi di un ferragosto lontano. L'aveva corteggiata per tre estati di fila, senza farsene accorgere nemmeno da se stesso. Solo lei aveva capito tutto, benché esibisse un fidanzato che era già quasi un marito. Una notte quei due avevano litigato e la ragazza era corsa sulla spiaggia a infilarsi dentro il suo sacco a pelo. Si erano scambiati effusioni problematiche: Tomàs portava ancora l'apparecchio per i denti. Aveva preso sonno dopo l'aurora, le mani abbandonate sopra il collo di pesca. Ma al risveglio le sue dita stringevano il vuoto. Aveva visto la ragazza fare la pace col fidanzato sulla riva del mare e si era sentito come certe caramelle guaste. Assaggiato e sputato.

Ritornò in superficie, recuperando immediatamente l'uso dei sensi. I cinque pugnali rimanevano in mezzo alla vasca e le loro lame sguainate sfidavano il cielo. Provò a eluderli con manovre laterali, ma ovunque si spostasse essi si muovevano con lui, come attratti da una calamita nascosta nel suo cuore.

«Non esiste una gomma per cancellare i ricordi. Però esiste qualcosa che può ripulirli da tutto il dolore che contengono.»

Noah era tornato e gli stava allungando un cubetto biancastro.

«E questo cosa sarebbe?» chiese Tomàs, tenendolo sul palmo di una mano.

«Il sapone del perdono.»

XXI

Strofinò il sapone sul primo pugnale, ma la lama non riuscì nemmeno a scalfirlo.

« Non può perdonare gli altri chi ancora non ha perdonato se stesso », sentenziò il Medico delle Acque.

Tomàs provò a passarselo sulla faccia. Sapeva di mandorle amare.

« Non si scioglie », disse.

Noah gli toccò una costola all'altezza della milza, sotto il plesso solare.

« È l'archivio dei ricordi. Da lì la collera, l'invidia e le altre pulsioni negative vengono irradiate. »

« Continua a non sciogliersi », protestò Tomàs, dopo aver sfregato con cura anche quella costola.

« Quando il sapone è così secco, può inumidirlo solo una storia vera. »

Alle parole di Noah le punte dei pugnali incominciarono a brillare e dalla palude si alzò un coro solenne.

« In una sera d'inverno, una ragazza texana di nome Cheryl compì una serie di scelte sbagliate. »

Tomàs non riusciva a credere ai propri orecchi: su tutte spiccava la voce stentorea di suo padre. Gli sembrava quasi di vederlo tenere il conto con le dita, grosse e agitate come cavalloni.

« Prima scelta: si mise al volante dopo aver fatto il pieno di alcolici e di marijuana. Seconda scelta: sterzò in ritardo e investì un barbone. Terza scelta: si rifiutò di soccorrerlo e l'uomo morì dissanguato. »

« La condannarono a cinquant'anni di reclusione. Ma alla lettura della sentenza i parenti della vittima insorsero », continuò la voce della dottoressa che lo aveva punto due volte sullo stesso dito. « Avrebbero voluto la pena di morte. »

« Due anni più tardi, in conseguenza del gesto di Cheryl, molte persone compirono una serie di scelte azzeccate », intervenne Autan, con una facilità di parola che non aveva mai posseduto. « Incominciò un ragazzo di nome Brandon, che chiese un incontro con l'assassina. Era il figlio del barbone ucciso e desiderava perdonarla. Ho avuto bisogno di tempo, le disse, ma ora sono pronto. »

« La vicenda fece il giro delle carceri », proseguirono le madri che da piccolo lo chiamavano povero bambino. « Qualcuno venne a sapere che il figlio del barbone aveva sempre desiderato andare all'università, ma che era stato costretto a rinunciarvi per mancanza di denaro. »

« Fu allora che i condannati a morte di tutte le prigioni d'America presero l'ultima decisione di questa storia », annunciò la ragazza dal collo di pesca. « Organizzarono una colletta, raccolsero diecimila dollari e mandarono Brandon a scuola. »

Quando i pugnali tacquero, il sapone incominciò lentamente a squagliarsi e Tomàs riuscì a spalmarlo sopra la costola che custodiva i suoi ricordi.

Appena si sentì pronto a perdonare, insaponò la prima lama e rivide il volto severo di suo padre alla partita di pallacanestro. Non lo stava giudicando per la gogna della sostituzione, ma soffriva per il giudizio negativo che gli altri avrebbero dato su di lui.

Passò alla seconda lama e, nel toglierle il gusto del proprio sangue, lesse il cuore della fattucchiera che lo aveva irriso dopo averlo fatto svenire. Si trattava di una dottoressa mediocre: la sua frustrazione non aveva più il potere di ferirlo.

Purificando il terzo pugnale, riconobbe l'odore di Autan. Gli chiese perdono per essersi associato al conformismo dei compagni. L'amico non rispose nulla. Ma a lui, e soltanto a lui, sussurrò all'orecchio « Hi-ho! », mentre sulle labbra gli sbocciava un sorriso celestiale.

Nel lavare il quarto coltello riascoltò le madri dei suoi compagni d'infanzia che lo avevano fatto sentire un reietto. Parlavano di debiti e rate da pagare. Avevano talmente paura del futuro che per rassicurarle Tomàs dovette consumare quasi tutto il sapone.

Gliene rimase qualche scaglia incastrata sotto le unghie e fu con quei rimasugli che lavò il quinto pugnale: il collo di pesca della ragazza che in un ferragosto lontano aveva usato il suo giovane amore per consumare una vendetta verso il fidanzato. Non faceva più così male.

Le cinque lame scattarono all'unisono dentro i manici e scomparvero sotto la superficie.

« Quei ricordi resteranno per sempre, ma il sapone ha lavato il dolore che a essi si associava », disse la Voce Che Parlava Dentro. « Sì, il sapone. Ti ha mostrato la scena da un altro punto di vista, affinché tu non ti sentissi più vittima. Sono i sensi di colpa e i traumi strozzati che spingono una persona a non accettarsi. Ma chi non si accetta non si ama. E chi non si ama non può cambiare. Ora che lo hai ripulito con il perdono, potrai inoltrarti lungo il sentiero che conduce alla camera del cuore. »

Tomàs avanzò verso il tornante della vasca, rotolando

sull'acqua come un astronauta nello spazio. I bubboni gli dolevano ancora, però il fuoco interiore era ridotto al crepitio di un caminetto.

Si sentiva sollevato, come sempre capita a chi abbia appena superato una prova. Ma ciò che apparve dopo la curva rimise in discussione le sue provvisorie certezze.

XXII

Una folla di volti si accalcava nella piscina, spintonandosi fra spruzzi e schiamazzi. E ciascuno di quei volti era lui.

Riconobbe il Tomàs bambino che giocava a pallone in un campo di maggio, abbozzando dribbling tra i fiori per non calpestarli, e il Tomàs adolescente che avrebbe voluto essere qualcun altro, anche se non sapeva bene chi, purché fosse qualcosa di diverso dal Tomàs che temeva di diventare.

C'era il Tomàs curioso che smaniava di scoprire il mondo e il Tomàs depresso che voleva nascondersi dal mondo. Il Tomàs cuor di coniglio che accusava gli altri di avercela con lui e il Tomàs fegato di drago che camminava sempre sull'orlo del baratro, ma non ci cascava mai. Il Tomàs intrepido che inseguiva i suoi sogni in silenzio e il Tomàs lamentoso che scappava dall'amore strepitando.

Infine il Tomàs con la pelle nera e lo sguardo angelico, distillatore di poesie romantiche e finanziatore di asili del Terzo Mondo, che era l'immagine idealizzata di se stesso con cui aveva scelto di affacciarsi su Internet, stringendo amicizie virtuali per concimare gli aridi prati delle sue relazioni sociali.

In mezzo alla bolgia apparve un serpente dagli occhi dolci, che sulle squame indossava i colori dell'arcobaleno. Avanzò a pelo d'acqua verso la tribù dei Tomàs e, uno alla volta, delicatamente, li inghiottì. Inghiottì il bambino e l'adolescente, il cuor di coniglio e il fegato di drago, l'inseguitore di sogni e il fuggitivo d'amore. Per ultima la proiezione immaginaria di Internet. Dopo ogni pasto il serpente diventava sempre più grasso e i suoi occhi sempre più dolci.

Il Tomàs primigenio assistette alla carneficina senza muovere un muscolo, con il distacco di uno spettatore poco coinvolto dalla trama. Lo sguardo del rettile gli aveva tolto qualsiasi capacità di reagire. Lasciò che il serpente gli si attorcigliasse intorno ai fianchi, finché lingua e coda arrivarono a toccarsi, realizzando la chiusura del cerchio. Ma quando ormai si era arreso all'idea di venire inghiottito anche lui, lo vide aderire alla propria pelle e compenetrarsi con essa fino a scomparire.

« *E pluribus unum*: dalla moltitudine l'unità », sentenziò Noah, squadrandolo con i suoi occhi abbaglianti.

« Conosco il latino », disse Tomàs. Aveva già ripreso conoscenza e si sentiva terrorizzato e rinvigorito insieme.

« Ogni Io è composto da un esercito di io », proseguì il Medico delle Acque. « Perciò l'uomo si innamora e disamora di continuo. È solo quando si stabilizza che incomincia ad amare davvero. »

« Per caso ho appena deglutito un serpente? »

« Sonnecchia acciambellato dentro di te. Dovrai risvegliarlo da un lungo sonno, se vorrai fargli percorrere i trentatré gradini che portano al cielo. »

« Trentatré gradini senza ascensore? Non ci penso neanche. E dove riposerebbe, al momento, la cara bestiola? »

« Al fondo della schiena troverai un osso. »

« L'osso sacro. »

« Sacro perché è la tana dell'energia creatrice, che giace arrotolata alla base della colonna, in attesa di poter risalire lungo il corpo attraverso le trentatré vertebre. »

Tomàs tastò la zona con circospezione e dalle pieghe dell'asciugamano che gli avvolgeva i fianchi estrasse una nuova cartolina.

... la strada è sgombra...

Esaminò il testo. I puntini di sospensione erano un modo tipicamente femminile di espandere il pensiero senza recintarlo nella gabbia dei punti fermi. Ma quale donna avrebbe potuto pensare di scrivergli in quel luogo? Esclusa la Bella Addormentata nel Bosco, i suoi sospetti caddero speranzosi su Arianna.

Si contemplò il dorso delle mani: i bubboni erano scomparsi, lì come in ogni altra parte del corpo. Si distese a pancia in su per riposarsi un po', ma la corrente lo spingeva inesorabilmente verso una grotta illuminata da fiaccole, dove tutte le vasche dell'Io convergevano in una pozza rettangolare.

Gli parve di riconoscere Polvere, la cui testa, protetta da

una cuffia di garza, galleggiava sull'acqua torbida. Al suo fianco Morena fluttuava rigida e immobile come un tronco abbandonato.

« È morta! » urlò l'uomo dietro gli occhiali da sole, « Beata lei. »

LA VASCA DEL NOI

Dove si galleggia da soli, ma si va avanti in due: Tomàs cerca di salvare gli altri (e se stesso) dall'Ombra dell'Amore.

XXIII

Nelle emergenze Tomàs rivelava il suo lato nascosto di uomo d'azione. Raggiunse a nuoto Morena e le sollevò le palpebre in cerca di vita, ma non ne trovò. Allora la scrollò per le ascelle. L'unico risultato fu una sensazione di impotenza.

« È un cadavere, te l'avevo detto. Io mi fido solo della morte... dovresti fidarti di me », ghignò Polvere, che continuava a volteggiare nella brodaglia rossastra.

« Cosa le hai fatto? »

« Io? Nulla. »

Indicò a Tomàs un cartello appoggiato contro la parete della grotta.

VASCA DEL NOI

Contiene i liquidi degli ospiti delle Terme, mescolati fra loro. Chi nuota da solo resta a galla, ma rimane fermo. Per andare avanti dovrà legarsi a un proprio simile, accettando il rischio di affogare.

Due possono diventare Uno, se insieme si danno la spinta giusta.

« Quindi sei tu che l'hai mandata a fondo », riassunse Tomàs.

L'immagine di Morena e Polvere che sguazzavano abbracciati nel minestrone delle loro anime gli procurò un morso di fastidio.

« Io o un altro, fa differenza? »

Tomàs non gli diede retta e passò una mano fra i capelli di Morena. La cute del cranio friggeva.

« Un'insolazione dentro una grotta! Ma com'è possibile? »

« Secondo Noah è colpa dell'emisfero maschile del cervello », ridacchiò Polvere.

« Secondo me è colpa di un maschio senza cervello: te. »

« Lui ti risponderebbe che le leggi dell'universo non si comprendono con la logica. »

« Che l'universo sia il teatro dell'illogico lo capisce persino il mio cervello di maschio. »

« Sì, ma Noah sostiene che qualsiasi persona, maschio o femmina, voglia avanzare verso l'amore... deve prima riattivare l'emisfero femminile. »

« Spiegati meglio. Forse possiamo ancora salvarla. »

« Da chi? Rilassati, la tua amica sta molto meglio di noi. Se gli uomini come te smettessero di darsi tanto da fare, nel mondo ci sarebbero meno tragedie. »

« Credi di essere superiore? »

« Che sciocchezza. Io sono ulteriore. »

Lo disse con un tono così indisponente che Tomàs non resistette alla tentazione di tirargli un pugno. Mancò il bersaglio e subito avvertì un bruciore in mezzo alla guancia, come se il pugno avesse colpito lui. Cercò il proprio volto sulla superficie dell'acqua, che glielo restituì identico a quello di Polvere. Solo la mascella sembrava più gonfia.

« Chi vede nell'altro un nemico contempla l'immagine deformata di se stesso », sentenziò una voce ben nota.

Tomàs alzò gli occhi, incrociando lo sguardo splendente di Noah. Il vecchio era accucciato sul bordo della vasca e guardava il corpo inerte di Morena.

« Io domando perdono a quest'uomo. Ma tu, per favore, salvala. »

« Il favore vero sarà di lasciare che sia tu a salvarla », rispose il Medico delle Acque.

« Temo di non essere iscritto al sindacato dei Principi Azzurri. »

« Impara a usare l'emisfero femminile del cervello. Il destro. Dove intuizione e creatività giacciono atrofizzate fin dall'infanzia. »

« Che cosa ti avevo detto? » ghignò Polvere, grattandosi la cuffia di garza che gli fasciava la testa.

« E quella a che serve? » chiese Tomàs.

« A niente », rispose l'uomo con gli occhiali da sole.

« A tutto », lo corresse Noah. « La cuffia protegge il cranio dalle nevrosi dell'emisfero maschile. Il sinistro. »

« E allora perché Morena ne è priva? »

« Non starebbe così, se non l'avesse perduta. »

Tomàs incominciava a comprendere. Si rivolse a Polvere con la massima gentilezza di cui si riteneva capace, considerate le circostanze.

« Potresti fare uno sforzo e provare a dirmi cosa diavolo è successo ai vostri cervelli qui dentro? »

XXIV

Polvere raccontò di quando la corrente lo aveva trascinato dalla vasca dell'Io a quella del Noi, mandandolo a sbattere contro Morena. La bionda muoveva le gambe con furia, eppure rimaneva ferma.

Per poter avanzare ho bisogno di te, gli aveva gridato. Lui aveva fatto finta di non sentirla, ma qualcosa sott'acqua lo spingeva verso di lei, come se fossero legati da un cordino invisibile. Così avevano incominciato a nuotare insieme, e si trovavano già a metà della grotta quando Polvere aveva avuto la sensazione di precipitare dentro un incubo.

Era di nuovo nella baracca sulle rive dell'oceano, in compagnia della signora con le mani affondate dentro le scarpe. Il male l'aveva scavata e sembrava prossima alla fine. Lui aveva accettato di restarle accanto: non per amore e nemmeno per pietà, ma per la naturale attrazione che gli procuravano le esperienze distruttive.

La signora cercava di dimenticarsi di se stessa, riempiendolo di carezze e di parole. Polvere si limitava a seguirne i movimenti con sguardo assorto. Alle donne piacciono gli uomini silenziosi: credono che le ascoltino. In realtà non provava alcun desiderio. Le uniche femmine che un uomo desidera, disse, sono quelle che gli sfuggono o che, quando fanno coppia fissa con lui, si comportano come se si trattasse di una decisione provvisoria.

A un certo punto dell'incubo, però, era crollato. Non

che avesse iniziato ad amarla. Si era soltanto stufato di continuare a nasconderle i propri lati deboli e oscuri. Le aveva aperto il suo cuore, ma lei glielo aveva sbattuto in faccia, deridendolo. Quando cerchi di diventare come ti vogliono loro, le donne non ti vogliono più.

La signora non si era infatuata di lui, semmai dell'immagine da duro che egli rifletteva sugli altri. Le era bastato scorgere dietro al poster le miserie di un qualsiasi essere umano perché l'incantesimo si spezzasse. Aveva affondato i piedi dentro le scarpe ed era scomparsa.

« Da dove ti è uscita questa trama masochista? » chiese Tomàs.

« Ha incontrato la sua Ombra dell'Amore », spiegò Noah. « Ciascuno di voi ne coltiva una. Quando siete soli, l'Ombra tace e lascia parlare le voci del rimpianto e del desiderio. Ma, appena vi unite a un'altra persona, si risveglia e prende la forma di tutte le vostre paure. »

« Scommetto che abita nell'emisfero maschile del cervello, dove la nevrosi fabbrica i suoi fantasmi », disse Tomàs.

« Sei più pazzo di lui », lo canzonò Polvere.

« Davvero? Ripensa al tuo incubo. Raccontava che l'unico amore in grado di farti sentire vivo è quello che ti procura una sofferenza. Che in amore le persone chiedono sincerità, ma preferiscono vivere nella menzogna. E che l'amore vero non può esistere, altrimenti non esisterebbe la morte. Non sono forse queste le tue paure? »

« Sono le mie certezze. »

« Cos'è successo al risveglio dall'incubo? »

« Andavo alla deriva nella grotta con la testa rovente. »

« E Morena? »

«Aveva perso la cuffia e vagava sull'acqua, il corpo rigido e le labbra contratte.»

«Tu che hai fatto?»

«Nulla. Non si interferisce con il corso crudele della natura. In una vita senza senso, l'inazione è l'unica azione sensata.»

Tomàs strinse i pugni, ma stavolta si dominò. Polvere era una di quelle persone che non emettono alcuna vibrazione. Quando finisci di parlare con loro ti senti sempre insoddisfatto.

«Tu chiedi amore agli altri, ma non ti ami», lo redarguì il Medico delle Acque.

«Io non chiedo niente a nessuno», replicò Polvere. «E poi conosco un mucchio di idioti che si amano. Si mettono davanti a uno specchio e lo appannano di complimenti. Che pena.»

«Se tu imparassi a guardare la bellezza che ti sta intorno, la troveresti anche dentro di te.»

«Tutto quel che vedo, fuori e dentro, sono dei futuri cadaveri.»

«Chi non si vuole bene attira solo pensieri che lo faranno stare peggio. E chi si ama in modo sbagliato incontrerà solo persone che lo ameranno per le ragioni sbagliate. È la legge dell'amore e non ammette eccezioni. Poiché tu l'hai calpestata, sei destinato a tornare indietro e a ricominciare daccapo.»

Noah fece ruotare una manopola di pietra. La superficie piatta dell'acqua venne infranta da una scarica di mulinelli che frullarono la corrente a ritroso, spingendola nuovamente in direzione delle vasche dell'Io.

Polvere si lasciò risucchiare senza opporre resistenza. Tomàs lo seguì con lo sguardo, fin quando l'uomo con gli occhiali da sole non scomparve nella penombra. Conservava la solita espressione beffarda sul viso.

« Lo incontrerò ancora? » chiese a Noah.

« Se deciderà di amarsi nel modo giusto, amerà gli altri e si salverà. »

« Credevo che amarsi fosse una manifestazione di egoismo. »

« L'egoista si vuole bene in modo sbagliato. Ama il prossimo suo come se stesso, ma non amando se stesso, non ama neanche il suo prossimo. »

Tomàs rifletté su quel paradosso apparente.

« E io? Potrei imparare ad amarmi nel modo giusto? »

La domanda era stata pronunciata con tale pudore che strappò al Medico delle Acque uno dei suoi sorrisi irresistibili da bambino.

« Cerca le tue qualità positive ed espandile con l'immaginazione. Poi liberati dalla zavorra dei sensi di colpa e sostituiscili con il senso di responsabilità. Così incomincerai a volerti bene per quello che sei, ma proverai anche il desiderio di cambiare. Amare il prossimo sarà una conseguenza. »

Si lisciò la barba e ristette pensieroso. Era una delle frasi più lunghe che avesse mai pronunciato.

« Il bravo seminatore inumidisce sempre il terreno secco », aggiunse, porgendogli una cuffia di garza.

E Tomàs all'improvviso comprese. Mentre nuotavano insieme nella grotta, Polvere aveva contagiato Morena con i propri pensieri opachi, impedendole di espandere l'emisfero femminile del cervello. Così l'anima della donna si era prosciugata e la sua cuffia era caduta in fondo alla vasca. Per ridestarla sarebbe stato necessario mettergliene in testa un'altra.

Fu quel che fece, ma non accadde nulla. Si chinò sul suo viso: aveva le labbra secche.

Allora gliele baciò.

XXV

Fu un bacio fulmineo e lieve, quasi chirurgico. Morena aprì gli occhi e gli tirò uno schiaffo.

«Scusa», disse dopo che l'ebbe messo a fuoco. «Devo avere sognato.»

«No, mi hai picchiato davvero.»

Era viva, più che mai. E lui nel baciarla non aveva starnutito.

«Ho visto un uomo orribile, Tomàs!»

«Se è per questo, hai fatto anche il bagno con lui.»

«Polvere? Oh, non è orribile. È solo dissociato. E comunque non avevo altra scelta. Dov'eri, quando avevo bisogno di te?»

«Me la spassavo in compagnia di cinque pugnali e di un serpente.»

«Voglio tutti i particolari», strillò Morena, ma ormai Tomàs aveva imparato a conoscerla. Nella classifica delle sue conversazioni preferite, il posto d'onore era occupato stabilmente da se stessa.

Raccontò di aver nuotato con Polvere per qualche metro, prima di sprofondare dentro un incubo. L'incubo degli uomini in fuga.

Un brivido di sgomento attraversò la schiena di Tomàs.

«Nell'incubo io sono io, ma non proprio io», continuò Morena. Una io più giovane, coi capelli corti e non ancora famosa... Invece lui è proprio lui, il regista con cui mi prendo e mi lascio da una vita.»

«Mokò?»

«Stesso sguardo da stropicciato, stessa voce da fumatore, stesso odore da ubriaco. Però nel mio incubo non fa il regista, ma il commercialista.»

«Mokò?»

«Lo incontro all'inaugurazione di un circolo culturale, accanto a un centro massaggi. Probabilmente aveva sbagliato ingresso. Incomincia a martellarmi di telefonate, durante le quali mi scarica addosso i suoi complessi. Mi sento un demente, ripete di continuo... Ma una volta voi maschi non facevate finta di essere dei supereroi, almeno nella fase del corteggiamento? Mi invita a uscire, sperando 'ardentemente' che io accetti. È per sabato alle otto, dice... Il sabato alle sette, mentre sono in bagno a restaurarmi, squilla il telefono: scusa, sto poco bene, sarà per un'altra volta, ci sentiamo... E tutto il suo ardore? Spa-ri-to!»

Morena si passò il dorso della mano sulle labbra a forma di cuore, senza smettere di saettare disprezzo dagli occhi.

«Mai fatto niente di simile io, lo giuro», biascicò Tomàs, appoggiando una mano sul bordo della vasca per non affondare, mentre le guance gli si accendevano come abat-jour.

«L'incubo non finisce qui. È ricomparso!»

«Mokò?»

«Adesso è un giovane pittore. Bello come il sole. Mi invita a cena e ci viene davvero. Mangia senza ungersi il maglione e paga addirittura il conto. Un miracolo di maschio. Molto amico di una mia cara amica, che me lo aveva presentato incoraggiandomi a conoscerlo meglio. Talmente amico suo che nell'incubo rimaniamo fermi in macchina a parlare di lei. Mi confessa che si frequentano da mesi. Ovviamente quella sbadata si era dimenticata di comunicarmelo. Forse, avendo già un ragazzo con il quale sta per sposarsi, sperava che io le risolvessi il problema del doppione senza troppi spargimenti di sangue. Chiedo al pittore se è stato invitato alle nozze, ma lui del matrimonio non sa nulla e finisce per arrabbiarsi con me. Spa-ri-to! Anche l'amica, spero.»

Senza uscire dall'acqua, Morena riuscì a prendersi le punte dei piedi con le mani e a sistemarsi in una posizione talmente yoga che a Tomàs bastò guardarla per avvertire una fitta al nervo sciatico.

«Ed ecco l'ultima reincarnazione di Mokò, la migliore. Stavolta ha persino senso dell'umorismo...»

«No, per favore, il senso dell'umorismo no!» la interruppe Tomàs. «Non ne posso più di belle ragazze che si accompagnano a nababbi con lo stomaco ricoperto di peli e poi dichiarano che in un uomo cercano soprattutto il senso dell'umorismo. Mai che lo trovino in un povero disgraziato. E sì che io ne conosco di spiritosissimi.»

«Allora che cosa mi dici di quei maschi che, quando chiedi qual è il loro difetto principale, ti rispondono: forse sono troppo sincero?»

«Che hanno senso dell'umorismo.»

Morena assestò meglio i polpacci nella posizione del fiore di loto, ma le sue mani si infilavano di continuo fra i capelli. Parlava a scatti e sussurri, quasi che le frasi, dopo esserle uscite dalla bocca, vi rientrassero attraverso un complicato gioco di correnti.

«Va bene. Mi limiterò a dire che, in questa nuova versione da incubo, lui è un ragazzo socievole. Con quel qualcosa di speciale che ti provoca farfalle allo stomaco e tremolii alle gambe. Un dentista.»

«Mokò?»

«Con il camice bianco e la mascherina sulla faccia. Al primo appuntamento nel suo studio manda via l'infermiera e restiamo soli: io a bocca aperta e lui sopra, a contemplarmi i molari. Ha uno sguardo così erotico... Non mi fa neppure pagare la visita, e per un dentista credo significhi qualcosa. La volta successiva aspetta che la mia bocca sia bloccata dall'aspiratore per sussurrarmi parole inequivocabili: Stasera mastica solo a sinistra e poi ritorna per un controllo. Se l'otturazione sarà a posto, festeggeremo insieme. Cucino degli spaghetti al pesce spada strepitosi... Lo richiamo il mattino dopo per annunciargli che la mia otturazione è guarita e pronta a tutto. Ma l'infermiera, una cafona assurda, dice che il dottore è al mare. Sarà andato a pescare il pesce spada, penso io. La sera mi manda un messaggio sul cellulare: Vedessi che stelle qui... Dico: se un uomo, un uomo-dentista, si ricorda di te durante una stellata, come minimo hai diritto di supporre di stargli simpatica. O no? Invece non richiama più. Vado io a stanarlo in studio, ma al suo posto trovo un sosia del nano Pisolo che per poco non mi trapana un dente sano. Il dottore è all'estero per un convegno, biascica l'infermiera, tutta goduta. Spa-ri-to, anche lui! Forse era una stella cadente.»

«È a quel punto che hai perso la cuffia?» chiese Tomàs, che desiderava ardentemente cambiare discorso.

«Ho sentito il cervello che si incendiava, ma in attesa di morire ho giurato a me stessa che avrei preso a schiaffi il primo uomo che avesse osato ancora comparirmi davanti. E quando ho riaperto gli occhi c'eri tu.»

«Il mio solito tempismo.»

«L'Inaffidabile è un'ombra che mi perseguita da sempre. Io conosco solo uomini con paura di amare, passioni superficiali, volti sconfitti. »

« Nuotare con Polvere fa brutti scherzi. »

« Quest'acqua ha risvegliato la mia paura più profonda: essere abbandonata da chi mi ha lasciato intravedere la possibilità di un amore autentico. Eppure nemmeno nei deliri dell'alcol ero arrivata a immaginare che qualcuno potesse mollarmi ancor prima di avermi presa... »

Tomàs si affannò a tranquillizzarla. Uomini simili esistevano soltanto negli incubi.

« Perché si dovrebbe scappare da una persona che si desidera? » chiese lei.

« Per paura di perderla? »

« Certo che gli uomini... Ci chiedete di essere indipendenti, ma se lo siamo sul serio provate fastidio. Di essere disinibite, e vi viene l'ansia da prestazione. Di piacere ai vostri amici, e poi vi sentite gelosi. Ci volete materne, ma appena sogniamo un bambino vero prendete il volo come passerotti codardi. Piene di personalità, ma scappate da quelle che non siete più in grado di arginare, descrivendole come bestie crudeli... »

« E voi non ci chiedete mai nulla? »

« Una cosa sola: sicurezza. E invece spesso ci tocca darvi anche quella... Abbracciami, Tomàs », singhiozzò. « Non sai che le donne, quando vanno in crisi, si sentono piccole? »

Lui la accolse sul suo petto e la lasciò sfogare. Neanche le Terme dell'Anima, piagnucolò Morena, erano riuscite a farle dimenticare Mokò. Ma faticava a comprendere se il suo accanimento nei confronti di quell'uomo sbagliato fosse soltanto orgoglio ferito, oppure la prova che era sbagliata anche lei.

« Siamo diventati troppo complicati », continuò quando si fu calmata.

« Forse lo siamo sempre stati. »

« Non è vero. In una vita precedente, più o meno a metà del Medioevo, ero protagonista di un'unione leggendaria: io e il mio uomo riuscivamo ancora a provare emozioni dopo diecimila giorni di baci e lavatrici in comune. »

« Non credo che esistessero già le lavatrici... E neanche che i giorni fossero diecimila. L'eternità finiva prima, a quei tempi. Era comodo giurarsi fedeltà per tutta la vita. Tanto, fra guerre ed epidemie, la vita durava meno di un soffio. Adesso la formula che andrebbe letta agli sposi è la seguente: vuoi tu abbracciare sempre e soltanto lo stesso corpo per i prossimi cinquant'anni, finché noia non vi separi? »

« Ma che cosa dici? Una volta l'amore era un sentimento assoluto. Abitavi in un villaggio, senza computer né televisione. A dodici anni conoscevi cinque creature della tua età e ne sceglievi una, che diventava La Persona Della Vita. L'idealizzazione è il lievito di ogni grande amore. E in quel mondo era ancora possibile, perché non esistevano i confronti. Oggi a dodici anni hai in camera la mia foto ritoccata, o quella di qualche altra diva. Poi guardi i brufoli delle tue compagne di scuola e invece di innamorarti ti senti morire. »

« Smettila con la nostalgia, altrimenti ti verrà il torcicollo. Ci si stufava in fretta anche allora. Solo che l'ipocrisia congelava i matrimoni e stendeva un velo di ovatta sopra i tradimenti. E poi tu non sceglievi un bel niente: erano le famiglie a decidere con chi dovevi stare. Oggi almeno c'è libertà. »

« Io non voglio la libertà. Voglio delle regole. Da quando sono libera di fare i miei comodi, non riesco più a sognare.»

«Secondo me hai in corpo troppa energia d'amore. La novità ne brucia tanta. Ma, appena diventa abitudine, ne consumi di meno e quella che avanza devi andare a scaricarla da qualche altra parte.»

Noah riemerse dalla penombra e si piantò sul bordo della vasca. Il vento sollevava i lembi della sua tunica priva di ornamenti, sobria come solo la nobiltà autentica sa essere.

«Vorrei contribuire alla discussione. Sapete dirmi qual è il contrario della bellezza?»

XXVI

Negli anni dell'adolescenza Tomàs era convinto che il contrario della bellezza fosse la bruttezza.

Non si trattava di un pensiero molto originale. Ma la sua idea di bruttezza era abbastanza particolare. Trovava brutti i film e i romanzi che si atteggiavano a capolavori e nei quali non succedeva mai niente. Brutte le poesie senza rime baciate, perché faticava a mandarle a memoria. Brutta la musica che gli altri ascoltavano soltanto per ballare. E brutte le ragazze che si discostavano dalla sua idea di perfezione: una frangetta sulla fronte e due labbra perennemente increspate in una smorfia di disgusto. L'infanzia gli aveva scavato un vuoto d'affetto che lo rendeva sensibile solo a chi non avrebbe mai voluto riempirlo, esprimendo questa indisponibilità fin dai lineamenti del viso.

Con l'assolutismo tipico della gioventù si era abituato a considerare la bruttezza un valore non sindacabile. Era bello soltanto ciò che piaceva a lui e ai suoi amici, brutto tutto il resto. Ma di recente aveva cambiato idea. Intorno a sé aveva visto saltare le barriere del decoro e montare un'ostentazione orgogliosa dell'ignoranza che lo irritava anche più dell'ignoranza stessa.

«A lungo ho pensato che il contrario della bellezza fosse la bruttezza», rispose. «Adesso sono convinto che sia la volgarità.»

«Togliti quella puzza da sotto il naso», lo canzonò Morena. «Certe persone volgari io le trovo vitali.»

Il responso di Noah giunse inatteso a darle manforte.

«Puoi estrarre bellezza anche da qualcosa di brutto o di volgare, ma non tirerai fuori mai nulla di vivo da qualcosa di esangue. Il contrario della bellezza è la mancanza di passione.»

Morena si illuminò.

«Il mio professore cieco sosteneva che ogni capolavoro umano deve la sua immortalità al nucleo di entusiasmo intorno al quale è stato costruito. Altrimenti perché si continuerebbero a leggere poemi scritti in una lingua morta, per esempio l'*Odissea*?»

«Per dare lavoro a gente come me?» azzardò Tomàs.

«Perché dentro vi scorre ancora la vita. I capolavori sono attraversati da un'energia che anche la mente più semplice riesce a percepire.»

«Ti garantisco che se uno ha il volto regolare, i muscoli guizzanti e molti soldi in tasca può fare tranquillamente a meno della passione.»

«Sbagli, Tomàs. Quante volte ho sentito un uomo accusarmi di averlo respinto perché aveva il naso storto o non poteva permettersi di scarrozzarmi su una fuoriserie. Ma non erano quelli i motivi veri. Ciò che una donna come me trova bello in un maschio è la sua forza vitale: quel misto di fierezza, gentilezza e risolutezza che vi rende affascinanti molto più di un bel naso o di una macchina potente.»

«Per questo vi innamorate dei farabutti?»

«Ci innamoriamo di chi emana energia, e di regola i farabutti ne manifestano più dei sensibili. Ma quando i sensibili riescono a esprimere quella che hanno in corpo... il loro fuoco è tale che basta una scintilla a incendiarci tutte. »

« E se i sensibili non sono capaci di tirarla fuori? Si condannano a restare soci del club del Migliore Amico. Sei tanto dolce, ti voglio bene, ma preferirei rimanessimo soltanto amici... »

« Anche tu sei stato iscritto a quel club? »

« Da ragazzo ero timido. E un po' lo sono ancora. »

« Smetterai di esserlo quando diventerai appassionato », sentenziò Noah.

« Ho capito che la passione è la medicina. Ma come posso prenderla, se è proprio la mancanza di passione la mia malattia? »

« La cura consiste nell'uscire da te stesso per identificarti con il bello che esiste nella natura, nelle opere d'arte e nelle persone che ogni giorno troverai sul tuo cammino », rispose il Medico delle Acque, consegnando ai pazienti due cuffie nuove. Era tempo di mettersi alla prova.

Morena e Tomàs sentirono un laccio serrarsi intorno alle loro caviglie, come un cordino invisibile che li teneva insieme. Per qualche metro nuotarono uno accanto all'altra, con una sincronia perfetta di movimenti. Ma, giunti in mezzo alla grotta, persero conoscenza e Tomàs andò incontro alla sua Ombra dell'Amore.

XXVII

Era a una festa in casa di amici, negli anni del liceo. Dopo aver sussurrato qualcosa all'orecchio del tipo che metteva i dischi, approfittava di uno sciopero della sua timidezza per invitare una giovanissima Arianna a ballare. La guidava fino al centro della sala, ma proprio quando stava per stringerla a sé, lei protendeva le sue braccia nella direzione opposta, appendendole al collo di un altro ballerino.

Tomàs si ridestò dall'incubo con una sensazione di arsura. Il calore alla testa stava diventando insostenibile. Cercò sott'acqua il piede di Morena, ma il cordino invisibile si era staccato e la ragazza andava alla deriva nello stesso stato di abbandono in cui l'aveva trovata al suo arrivo dentro la grotta. Allungò una gamba allo spasimo per arpionarle la caviglia e, appena i loro piedi tornarono in contatto, ripiombò nell'incubo da cui era fuggito.

Gli arrivò l'eco dell'ultima frase di Noah: « La cura consiste nell'uscire da te stesso per identificarti con il bello che esiste nella natura, nelle opere d'arte e nelle persone che ogni giorno troverai sul tuo cammino ».

Non c'era la natura in quella storia, e anche le persone, tranne Arianna, erano tutte sbagliate. In compenso esisteva un'opera d'arte. Una delle ballate musicali più straordinarie di ogni epoca.

Starway to heaven.

Era stato proprio lui a richiederla al tipo che metteva i dischi. Per il suo primo ballo con Arianna aveva voluto concedersi una colonna sonora adeguata. E anche se poi le cose avevano preso una piega diversa, si lasciava invadere dal fascino di quegli accordi. La voce del cantante gli entrava nel cuore e risaliva fino alla nuca, illuminando il tragitto come una candela.

Incominciava a danzare da solo in mezzo alla pista. I piedi si muovevano con una maestria che avevano sempre ignorato di possedere e il corpo disegnava le traiettorie di un delfino fra le onde. Anche Arianna si scioglieva dall'abbraccio del suo rivale per assistere allo spettacolo. Ma Tomàs era già lontano: la sua pista era diventata il mondo. Danzava da un continente all'altro, accompagnandosi a tutti coloro che andavano al medesimo ritmo. Li prendeva e li lasciava, senza rimpianti e senza rancori. Senza mai smettere di danzare.

Ritornò in sé, sentì il piede di Morena pulsare accanto al suo e per un attimo di cui non conobbe mai la durata entrò in contatto con l'anima di lei.

Ne percepì la forza e la paura.

Le disse che l'amore muore per strangolamento, ogni volta che Io soffoca Noi.

Le disse che l'amore muore di stenti, ogni volta che Io dirotta tutto il nutrimento su di sé e si dimentica di Noi.

Le disse che l'amore muore di noia, ogni volta che Io si concentra soltanto sulle emozioni e non coltiva progetti per Noi.

Le rivelò tesori di saggezza che aveva sempre ignorato di possedere e lei li accolse con gratitudine, strofinando il piede contro il suo. Incominciarono a batterli all'unisono e in poche bracciate raggiunsero il fondo della grotta. Ad aspettarli c'era Noah.

«Qual è l'unità di Bocca?» domandò a Tomàs, mentre lo aiutava a togliersi la cuffia.

« L'unità di Bocca? Una bocca! » rispose lui, stupito.

« E l'unità di Occhi? »

« Un occhio. »

Il Medico delle Acque disapprovò.

« Una bocca funziona da sola, ma un occhio da solo manca di profondità. »

« L'unità di Occhi è due occhi, allora. »

« E l'unità di Uomo? »

« Un uomo. Come la bocca, funziona da solo. »

« No. Da solo non crea nulla. L'unità di Uomo è la coppia », strillò Morena, scuotendosi dal torpore. « Sei stato proprio tu a suggerirmelo, Tomàs, mentre nuotavamo nella vasca. »

Noah sorrise compiaciuto.

« Chi si sposa solo con se stesso prima o poi divorzia. »

L'amore umano, aggiunse, non è la semplice somma di due Io. È una creatura autonoma, il cui nome è Noi. Se la coppia costruisce progetti, non conoscerà le rughe del tempo perché il maschio e la femmina non saranno più due, ma una cosa unica.

« Ma come possiamo comprimere il desiderio di nuove emozioni? » domandò Tomàs, mentre uscivano dall'acqua e indossavano nuovi accappatoi ancora più leggeri.

« Il desiderio non si comprime. Si supera, in nome del progetto », rispose il Medico delle Acque.

« È vero », aggiunse Morena con voce sognante. « L'amore dura finché si continua a sognare insieme. Anche in modo diverso, ma comune. »

Tomàs si accorse che l'odore di lei gli era rimasto addosso. Il suo progetto, al momento, era di non lasciarlo svanire troppo in fretta.

LA TISANA DEL DISTACCO

Dove si parla di uomini e angeli.
Di belle e di bestie. E di un libro che rivela
il linguaggio segreto dell'amore.

XXVIII

Fecero ritorno al chiostro stringendosi negli accappatoi, mentre un'aurora intrisa di nuvole riversava nei loro occhi una luce diafana.

« *Buon risveglio, è primavera. Quando il sole si stiracchia, più a lungo il giorno dura e nel ventre della terra – sotto i rovi, nella macchia – cresce ogni creatura.* »

Così cantava Andrea, mentre la sua sagoma ad anfora avanzava verso gli ospiti delle Terme con il vassoio delle tisane.

« *La parola è degli uomini, ma l'arte è degli angeli. Si rivolge all'emisfero femminile del cervello, dove abita l'intuito che del mondo coglie il bello. Sette le note, sette i colori, sette i cancelli che l'energia dal corpo portano fuori. La scala armonica userà il compositore, la cromatica il pittore. E tu, per amare, quale scala dovrai usare?* »

« La scala dell'anima? » azzardò Morena.

Il Cantastorie annuì.

« *Anche lei ha le sue note, anche lei i suoi colori, ma possiedono altri nomi e si chiamano emozioni.* »

« Le emozioni hanno un colore? »

« *Rossa è la mia veste, come la statua della dea. Come l'anima. Come il sangue che le emozioni crea.* »

« Io adoro le emozioni! »

« *Tutti le amano, perbacco, ma pochi le sanno dominare. Distacco: ecco una parola che l'uomo è riuscito a rovinare.* »

« Ma significa freddezza! »

«No, distacco vuol dire controllo. Hai imparato a lanciare un desiderio nell'universo. Il rischio, adesso, è che vada disperso. L'emozione è un fatto fisico, produce lacrime e sudore. È zavorra che soffoca e non crea. Per far volare il desiderio serve la leggerezza di un'idea.»

«Se hai appena detto che le emozioni sono la scala dell'anima!» lo contestò Morena.

«Non di toglierle ti chiedo, ma di metterle soltanto quando lanci il desiderio. Una volta, è sufficiente. Poi lascia che il desiderio voli via. Se lo carichi di troppe attese, mai di un'idea aggancerà la scia.»

«Le idee hanno una scia?»

«Ogni idea che dal sonno si desta ha una coda di luce che ti scorre sulla testa.»

Tomàs spostò lo sguardo sopra Morena e non colse nulla di particolare. Ma quando lo abbassò vide Morena. Si perse nella contemplazione delle sue labbra a forma di cuore, parcheggiate in un sorriso estatico. Aveva smesso di essere soltanto una compagna di viaggio e stava incominciando a diventare un desiderio.

Sul vassoio erano rimaste due tazze e la pila dei libri con la copertina chiara.

«Li conosci tutti, riga per riga?» si informò la bionda.

«Conoscere non significa ricordare, ma sapere esattamente dove andare a cercare.»

Andrea prelevò il volume in cima alla pila.

«Questo libro ha un gran valore. Rivela il linguaggio segreto dell'amore.»

«Lo voglio io», strillò Morena, allungando istintivamente una mano.

«Se io *è la tua parola preferita, perché la sprechi di continuo come acqua fra le dita? Conservala per quando la tua*

vita verrà messa a repentaglio. Allora sì sarà una freccia e colpirà il bersaglio.»

«Lo voglio», si corresse lei, senza però ritirare la mano.

«È già tutto nel tuo cuore, lascia che ci resti. L'amore è un film muto: togli il volume e concentrati sui gesti. L'azione che rivelerà il tuo intento vale più delle parole che dei gesti fanno scempio. Coi discorsi puoi ingannarti, coi discorsi puoi ingannare, ma convincere e convincerti puoi soltanto con l'esempio.»

«Millenni di romanticismo scaraventati nel cestino!» lamentò Tomàs.

«Io invece trovo straordinaria questa regola», disse Morena. «Se mi telefoni ventisette volte al giorno per invitarmi a uscire e ogni volta ti rispondo che ho il raffreddore, è inutile che continui a chiederti se io sia innamorata pazza di te, ma cagionevole di salute. È più probabile che sia sana come un pesce e per nulla interessata.»

«In questo momento hai il raffreddore?»

«Se però», continuò lei imperterrita, «mi faccio cento chilometri a nuoto per venirti a dire che sei un imbecille, abbassando il volume coglierai nel mio gesto un segno inequivocabile di passione.»

Tomàs si incantò a immaginarla mentre faceva cento chilometri a nuoto per venirgli a dare dell'imbecille. Seguì un lungo silenzio, durante il quale entrambi applicarono la regola del sonoro ai ricordi. Esplorando a ritroso le loro storie finite male, rintracciarono i segnali di allarme che avevano ignorato o sottovalutato perché storditi dal rumore delle parole. Colsero il momento esatto in cui gli amori si erano accartocciati su se stessi, trasformandosi in ossessioni cerebrali e in chiacchiere senza energia. E capirono la differenza fra la parola e il Verbo, fra il testo e il gesto.

« Quante ore ho sprecato ad analizzare le sfumature di un messaggio o di una conversazione! » ammise Morena.

« La prima volta che mi dichiarai a una ragazza, feci finta di dimenticare a casa sua un diario in cui scrivevo di essermi innamorato di lei », confessò Tomàs.

« E lei lo lesse? »

« Certo. Diventammo amici. Però si fidanzò con un altro che non le aveva mai scritto neppure una cartolina, ma sapeva guardarla in un certo modo. »

« Ricordate la lezione che ascoltaste nella grotta? Solo chi libera la passione troverà la giusta rotta. Da tempo le parole hanno perso il loro afflato. Sono una seconda scelta, la scorciatoia di chi è angosciato. Le parole creano quando si trasformano in azione. Nessuna donna si innamorerà di te perché le leggi una poesia, ma lo farà se nel leggerla la guarderai con passione: l'amore è un'energia. »

« L'uomo che amavo mi ha sempre guardata con passione », disse Morena, « purtroppo mi ha anche sempre raccontato un mare di bugie. Ho passato la vita a bere le sue parole, senza accorgermi che a parlare chiaro erano i suoi gesti. »

« Anche le parole possono elevarsi ad arte. Succede quando la musica ne diventa parte. »

Andrea versò nelle tazze un infuso che aveva i colori dell'arcobaleno.

« Pura come l'acqua, potente come il vino. È una tisana a base di tiglio, arancio e biancospino. La sorseggerete in compagnia di una storia vera, che di nuove esperienze riempirà il vostro sacco. Vi insegnerà come l'amore vada vissuto con passione, ma osservato con distacco. »

Porse loro le tisane. Poi aprì il libro chiaro e incominciò a rac-cantare.

XXIX

IL RAC-CANTO DEL TEDESCO

Lui tedesco scuro e assai possente
lei giapponese bionda e prorompente
correvano sul bordo del crinale
quando la Bionda cadde in un canale.

Il fango attenuò molto la caduta
ma poi scoprì di essere perduta
liscio era il muro e dritto fino al cielo
provò a scalarlo, ricadde sola al gelo.

Lui in verità la conosceva a stento
ma dell'amor sapeva il gran portento
il meglio tu darai senza mai sosta
né chiederti che avrai come risposta.

Corse verso una casa e gridò aiuto
gridò con voce roca come un bruto
nessuno rispondeva alle sue urla
pensavano ad un gioco ad una burla.

Tornò il Tedesco all'orlo del crinale

guardava in basso a caccia di un segnale
« Forza, coraggio, respira ancora un po'
resisti, o Bionda, io ti salverò. »

Andò di casa in casa e non si arrese
finché qualcuno all'alba lo comprese
un uomo si affacciò con sguardo fioco
chiamò in soccorso i vigili del fuoco.

Lui li guidò in silenzio giù al canale
temeva le facessero del male
quando un pompiere emerse trionfante
stringeva a sé la Bionda ancor tremante.

Le misero coperte in abbondanza
la fecero salire in ambulanza
poi dissero al Tedesco di montare
ma lui di colpo prese a tentennare.

Riempì i polmoni d'aria del mattino
corse lontano verso il suo destino
l'amore tutto sente e tutto dà
ma in cambio chiede solo libertà.

L'amore si nasconde in posti strani
stavolta era nel cuore di due cani.

Morena si passò una mano fra i capelli e sospirò.

«Prima gli squali, adesso i cani. Gli animali hanno un'anima?»

«Un corpo ha sempre un'anima, lo sapete, perché l'anima è fatta dai liquidi che in corpo contenete.»

«Ma l'anima non è lo spirito?»

«Non fare confusione come le menti contorte. Lo spirito è soffio, fiamma, energia. Ciò che dell'uomo sopravvive alla morte.»

Tomàs ascoltava assorto, gli occhi bassi. In realtà stava contemplando i piedi nudi di Morena. Piccoli e arcuati, erano i più belli che avesse mai visto. Anche la bocca, a forma di cuore. E gli occhi: le pupille sembravano coccinelle in attesa di un fortunato da illuminare.

Si baloccò col pensiero a comporre il mosaico della sua donna ideale, unendo i tasselli di quelle che aveva desiderato.

Della figlia del notaio il collo elegante e le mani sottili.

Della Matematica la pelle di luna e le curve paraboliche.

Di Arianna gli zigomi alti, i capelli corvini e le gambe, per tacere del sorriso.

Nessuna poteva competere con lei. Ma Arianna ormai non era più un corpo. Era un sogno che aveva lasciato sulla Terra. Mentre il corpo di Morena, alimentato da un'energia di cui si sarebbe ubriacato volentieri, pulsava accanto a lui. Forse era il ponte che la vita gli stava lanciando per sopravvivere a quell'avventura.

«Potrò mai assomigliare al cane del tuo rac-canto?» chiese al Cantastorie.

«Se saprai cogliere i piaceri che la vita ti procura, senza compilare cataloghi di ciò che ti fa paura.»

« Non so di che cosa parli », arrossì Tomàs.
Andrea consegnò a entrambi la stessa cartolina.

... dovrai perdermi... per ritrovarmi...

« Ammettiamo che Bella sia io. Hai qualche idea sulla Bestia? » lo provocò Morena, strizzandogli l'occhio.
Da rosso che era, il viso di Tomàs tramontò fino a farsi buio.
« Detesto le favole, questa in particolare », rispose. E il suo tono di voce chiuse sul nascere la questione.

LA VASCA DELLA LUNA

Dove Tomàs ritorna bambino per prendere a pugni la morte e ritrovare la vita in una biglia.

XXX

Scese la sera e ricomparve Noah per guidare i pazienti lungo il sentiero di ghiaia che attraversava le Terme. Sugli alberi illuminati dalla luna piena si incominciavano a scorgere gli effetti dell'opera severa dell'inverno: ovunque le gemme annunciavano la vita. Ma Tomàs restava sprofondato nei suoi pensieri e non alzò la testa per l'intero tragitto, neppure quando Morena si mise a fare la ruota sul prato come una fata capricciosa.

Entrarono in una radura dominata da una piscina circolare. I raggi della luna si riflettevano sulla superficie piatta dell'acqua, increspandola in un sottile tremolio. Una donna galleggiava solitaria al centro della vasca. Aveva la pelle ambrata, il seno accogliente e i capelli tagliati a zero. I denti color dell'avorio donavano forza a un sorriso che non apparteneva al mondo.

«Lys, massaggiatrice d'anime», la presentò il vecchio. «È lei l'energia femminile che porta la pace e sana ogni dolore. Fa crescere e scemare le emozioni, come fossero maree. Distrugge e trasmuta, mostra verità e infonde certezza.»

A contatto con l'acqua intrisa di sale – spiegò Noah – le vibrazioni della sua voce ripulivano i meridiani del corpo e riaccordavano il cuore. Se si fossero affidati completamente a lei, sarebbero stati riportati all'infanzia per rivivere il trauma che aveva deviato il corso naturale delle loro vite.

« Le pene adulte nascono da una decisione presa in un tempo lontano, perché la saggezza si perde in fretta », concluse il Medico delle Acque.

Il primo a immergersi fu Tomàs.

« Buon viaggio », gli sussurrò Morena con trasporto da vera attrice. « Se lungo la strada incrocerai una bimba che cerca di ghermire un bignè al cioccolato dalla vetrina di una pasticceria, non trattarla troppo male. »

Il tepore della piscina avvolse Tomàs in un sudario rassicurante. Si adagiò a pancia all'aria e guardò la luna piena negli occhi. Sentì le mani della Massaggiatrice d'Anime posarsi sopra le sue tempie e poi intorno alle spalle, facendolo dondolare come su un'altalena.

« ... lasciati andare... lasciami entrare... »

Era una voce sospesa e suadente, che sembrava uscire direttamente dalle profondità dell'acqua. Tomàs si immerse per ascoltarla meglio e percepì il battito del proprio cuore.

« ... fai la nanna... piccolino... »

La nenia si depositò come olio sulle sue emozioni. Sentì un'arpa vibrargli nello stomaco e quando chiuse gli occhi si rivide bambino, in compagnia di un uomo che teneva un pacchetto rosso fra le mani.

« ... raccontami... che cosa vedi... » sussurrò la voce d'acqua, mentre le braccia di Lys lo cullavano senza mai fermarsi.

« Il bambino sono io. E l'uomo con il pacchetto rosso è il dottor Bo. Un medico generico. Una di quelle persone normali che, per il semplice fatto di compiere in modo umano il loro dovere, sembrano eccezionali. »

« ... raccontami... com'era... »

« Portava la sua normalità scolpita nel fisico: piccolo ed

esile. Non sapeva parlare in pubblico e nemmeno in privato. Aveva un eloquio lento, appesantito dalle pause.»

«... raccontami... chi era...»

«Fu uno dei tanti medici che girarono intorno al letto di mia madre negli ultimi mesi della sua vita. L'unico a portarle sempre dei fiori. A lei piacevano le rose rosse. Nessun dottore mi voleva fra i piedi durante le visite. Nessuno tranne lui. Si sedeva accanto al letto e diceva: 'Resta pure, Tomàs'. Ogni volta ci metteva i millenni per dirlo, ma tanto io lo sapevo già. Parlavano un mucchio, quei due. Veramente parlava solo la mamma. Il dottor Bo ascoltava. Con certi occhi umidi, attenti. Non ho più conosciuto un ascoltatore così. Dava veramente l'impressione di starti a sentire. Quando andava via, lei sembrava più leggera e telefonava in ufficio a mio padre: 'Il dottor Bo ha detto...' Non le aveva detto niente. Però era come se lo avesse fatto.»

«... raccontami... della mattina in cui arrivarono... i pinguini...»

«La mattina in cui arrivarono i pinguini era Natale. Dopo aver nevicato tutta la notte, sopra la città brillava persino uno scherzo di sole. Io, che di solito dovevo essere tirato giù dal letto con la forza, quel giorno saltai fuori come una molla rotta e mi affacciai al davanzale per spiare il bianco che imponeva il silenzio a tutte le cose. Agitato da un presentimento confuso, corsi nella stanza dei miei genitori. Scomparsi, tutti e due. Non riuscivo a credere che fossero usciti la mattina di Natale, senza lasciarmi sotto l'albero neanche un regalo.»

«... buon Natale... piccolino...»

«Poi i pinguini suonarono alla porta e mi portarono nel loro negozio che vendeva le bare. Mio padre era lì. Gli feci notare che una bara era davvero di pessimo gusto, come regalo. La mamma mi aveva promesso le scarpe da pallacanestro. Non rispose. Aveva gli occhi gialli. Due pinguini super lo reggevano per le ascelle. Mi passò davanti senza guardarmi e scomparve oltre un cancello. In quel preciso istante mi sentii perduto. Ma una mano si posò sulla mia spalla e all'estremità della mano c'era il dottor Bo. Con l'altra reggeva un pacchetto rosso che aveva degli elefantini gialli stampati sopra.»

«... il tuo regalo...»

«Da parte della mamma, disse il dottore. Ma quando finì la frase, io il pacchetto lo avevo già scartato, strappandolo a un'estremità e poi infilandoci l'indice come una vanga. Li apro così ancora adesso, i pacchetti. Avrei giurato che fosse la scatola delle scarpe da pallacanestro. Invece saltò fuori un quadro, lungo e stretto. Il ritratto di un ragazzo biondo con le ali, vestito da femmina. Sotto di lui c'era una nuvola. Sotto la nuvola un bambino a mani giunte. E sotto il bambino le parole di una preghiera: *Angelo di Dio che sei il mio custode, illumina, custodisci, reggi e governa me, che ti fui affidato dalla pietà celeste, così sia.*»

«... illumina... custodisci... reggi... governa...»

«Chiesi al dottor Bo se il ragazzo con le ali e il bambino a mani giunte fossero parenti. Lui mi spinse in strada, lontano dai pinguini, e alzò al cielo i suoi occhi umidi, attenti. 'Da oggi lassù c'è un angelo speciale che veglia su di te', disse con sveltezza insolita. 'Ora non puoi capire, ma tutto è giusto e perfetto...'»

«... tutto è giusto e perfetto... sì...»

«Io gridai Noooo e gli tirai un pugno in mezzo allo stomaco. Povero dottor Bo, a momenti cadeva. Invece non cadde. Fece un passo avanti e mi abbracciò.»

XXXI

Tomàs tentò di divincolarsi dalla morsa della Massaggiatrice d'Anime, ma lei lo strinse più forte.

«... non fuggire... piccolino... abbraccia il dottor Bo...»

«Non lo abbracciai affatto. Scappai via via via!»

«... puoi ancora tornare indietro...»

«Per anni negai che mia madre fosse morta. Nascosi le sue foto in un cassetto. Non ne parlavo volentieri con nessuno, nemmeno con me stesso. Ai compagni di classe raccontavo che lei era sempre in viaggio per lavoro, ma che presto sarebbe ricomparsa all'uscita da scuola, come la signora bionda che aspettava il suo odiosissimo figlio appoggiata alla portiera di una jeep: impossibile non innamorarsene, aveva certi occhiali neri da cattiva che si dimenticava sul viso persino con la pioggia. Ma di notte la mia mamma immaginaria scompariva e ogni volta era una sconfitta che finivo di scontare all'alba, quando finalmente mi addormentavo sul cuscino zuppo di lacrime.»

«... puoi piangere anche adesso... se vuoi...»

Tomàs scosse la testa e starnutì. Lys gli appoggiò una mano sul cuore.

«... com'è freddo... non sei radicato alla Terra... alla Madre... non l'hai mai perdonata... non l'hai più abbracciata... l'amore è un abbraccio che comprende tutto... il bene... il male... ti è mancato il suo calore...»

«Il suo calore! Veniva da una famiglia numerosa, ma non povera. Poi mio nonno morì in guerra e persero tutto.

All'età in cui le adolescenti si buscano i primi raffreddori sentimentali, lei già lavorava in fabbrica per aiutare la nonna a crescere i fratellini. Era sbadata, emotiva e coi capelli arruffati come me. Ma altruista e disponibile con chiunque, un termosifone sempre acceso a temperatura costante, come io vorrei essere e non sono. »

« ... perdona tua mamma... per essersene andata... e l'universo... per essersela ripresa... »

« Perché me l'avete tolta così in fretta? È un'ingiustizia inconcepibile. Se non per lei, almeno per me! »

« ... ricorda le parole del dottor Bo... la vita ha un senso... ciascuno di noi... quando viene al mondo... sceglie un'esperienza... un ostacolo da superare per diventare più completo... tu hai scelto la condizione dell'orfano... »

« Ma come? Ma perché? »

« ... non me lo chiedere... a nessuno è dato conoscere l'intero copione... abbiamo tutti una missione da compiere nella vita... »

« Le tue sono illusioni per condire di speranza il Nulla! »

Si rese conto di avere parlato come Polvere.

« ... il Nulla... il Tutto... alcune anime sono più avanti col programma... hanno bisogno di meno tempo per spiccare il volo... forse la missione di tua mamma era più breve... o forse lei era più brava... »

« La notte in cui morì venne nella mia stanza per leggermi una favola. Ma io, stupido, mi addormentai prima della fine. »

« ... ricordala così... nell'atto di benedirti per sempre... però adesso lasciala andare... »

« Non posso. Non voglio! »

« La morte precoce di una madre è la madre di ogni abbandono... non ti corazza da quelli che arriveranno in seguito... ma ti insegna a dare la giusta importanza all'amore... a non scappare quando lo incontri... e a batterti fino allo stremo per mantenerlo in vita...»

Tomàs chiuse gli occhi e rivide il dottor Bo curvarsi sotto il suo pugno.

«... abbraccialo... piccolino... non sei più un orfano adesso... sei il padre e la madre di te stesso... abbraccialo e vai oltre...»

«Non ce la faccio!»

«... non stai dentro la tua vita... la osservi da fuori... ne parli al passato... ma la vita è eterno presente...»

«È il mio blocco, non riuscirò a superarlo.»

«... non è il tuo blocco... altrimenti adesso lo avresti sciolto... invece dovremo andare ancora più indietro...»

Lys gli tastò le tempie e a Tomàs parve di salire su un ottovolante a forma di arcobaleno. La giostra sorvolò una distesa d'acqua e atterrò su una spiaggia fra marmocchi urlanti e madri che prendevano il sole.

Nella confusione intravide uno scricciolo con i capelli arruffati. Due bambini più grandi lo avevano afferrato per i piedi e usavano il suo sedere per tracciare una pista sulla sabbia. Sentì un bruciore all'altezza delle natiche e non ebbe più dubbi.

Lo scricciolo con i capelli arruffati era lui.

XXXII

Per tre volte Lys gli immerse la testa nella vasca intrisa di sale, prima di esporla nuovamente ai raggi della luna.

«... è estate... piccolino... una delle prime della tua vita... sei sulla spiaggia... i bambini grandi disegnano una pista per le biglie...»

«Con il mio sedere, che eroi! Voglio giocare anch'io. Perché nessuno mi dà retta?»

Adesso Tomàs parlava al presente. Usava frasi secche e il suo timbro aveva assunto un pigolio infantile.

«Trovo una biglia ammaccata nella sabbia. La metto sulla linea di partenza. Avvicino l'indice al pollice. Come se fosse una cosa naturale.»

«... lo è...»

Avvicinò l'indice al pollice della mano sinistra, fino a formare un cerchio perfetto. Era talmente assorto che si dimenticò di non essere mai stato mancino.

«... che aspetti...?» chiese la voce d'acqua.

«Che qualcuno mi guardi! Ecco, sono pronto. Tiro una stecca senza senso. Così!»

Sganciò l'indice e colpì.

«... come va... piccolino...?»

«Malissimo, grazie. La mia biglia sbanda. Esce di pista. Si infila nella bocca spalancata di una signora che sta prendendo il sole. Quella biglia ha un futuro come pallina da golf.»

«... non rifugiarti nell'ironia... è la scappatoia dei grandi... ricorda... tu sei ancora un bambino...»

«Ma sono i grandi che mi prendono in giro. Io divento rosso. E mio padre...»

«... tuo padre... ha visto la scena...?»

«Figuriamoci se poteva perdersela. Si alza di scatto dalla sdraio. Guarda mia madre e borbotta: 'La testa! Questo tuo figlio non ha la testa!' La mamma prova a difendermi, ma lui mi sgrida davanti a tutti. 'Fatti furbo, Tomàs!'»

«... e tu...?»

«Mi faccio furbo. Per farlo contento. Riporto la biglia sulla linea di partenza. La sfioro appena con l'indice destro. Un colpo vigliacco. La biglia compie un paio di giri su se stessa. Poi si ferma di nuovo. Ma rimane dentro la pista. E tutti mi dicono bravo.»

«... anche tuo padre...»

«Mi dà un buffetto sulla guancia. È contento.»

«... anche tu...?»

«Io no, ma faccio finta di sì.»

«... sei diventato furbo e infelice... per farti accettare dagli altri... hai dovuto amputarti come loro... staccando il filo che collega il cervello alla camera del cuore...»

«L'intuizione?»

«... prova a riattivare il contatto... e quando sentirai di nuovo il cuore in equilibrio... tira una stecca senza senso...»

Tomàs rimise la biglia sulla linea di partenza e unì il pollice e l'indice della mano sinistra. Sentiva gli occhi del mondo dietro la sua testa e desiderò fuggire.

«Non ce la faccio. Sono bloccato.»

«... hai visto... non è stata la morte di tua mamma... il blocco non è mai la morte di qualcun altro... ma la propria... ora lo sai... la tua morte avvenne allora su quella spiaggia... riprenditi la vita... riprenditi la biglia... rimettila dov'era uscita la prima volta... »

Tomàs obbedì senza troppa convinzione. Pur di sbarazzarsi del peso che gli gravava sullo stomaco, la colpì con mano flaccida.

« ... come va... piccolino...? »

« Peggio, grazie. Stavolta la biglia decolla come un missile. Si schianta in mare. Galleggia sulle onde. »

« ... non scappare... vai a riprenderla e riprova daccapo... conosci la storia del raccattapalle di Maradona...? »

« Maradona, hai detto? » Un calciatore non gli sembrava il genere di persona che una come Lys avrebbe dovuto conoscere.

« ... ascolta... un giorno in cui aveva deciso di allenarsi... scrutò i giornalisti con aria di sfida... poi appoggiò cinque palloni sulla striscia di fondo campo... nel punto in cui incrocia l'altra striscia... »

« L'area di rigore? »

« ... no... troppo facile... una ancora più stretta... »

« L'area piccola: quella del portiere. »

« ... sei un esperto... piccolino... allora saprai che da lì la porta dista veramente poco... incombe ma non si vede... e il palo esterno è come un muro... fare gol è piuttosto difficile... »

« Difficile? Impossibile! La palla dovrebbe sterzare di novanta gradi, violando una mezza dozzina di leggi fisiche. »

« ... Maradona calciò i cinque palloni... uno dopo l'altro... e tutti si infilarono dentro la porta... i giornalisti non trovarono nemmeno la forza di applaudire... ma un raccattapalle che si era fermato in contemplazione recuperò i palloni in fondo alla rete e li riportò nel punto esatto in cui li aveva sistemati Maradona... »

« Voleva provarci anche lui? »

« ... cinque volte calciò... e cinque volte prese il palo... »

« Matematico. »

« ... si accartocciò sull'erba e appoggiò la fronte sopra le ginocchia... »

« Piangeva? »

« ... no... pensava... Maradona gli andò vicino... lo accarezzò sulla testa... non disperarti... disse... alla tua età non ci riuscivo nemmeno io... poi gli prese un piede e mostrò al ragazzo la zona precisa della scarpa con cui andava colpito il pallone... »

« Fosse stato solo un problema di scarpe! »

« ... il raccattapalle provò e riprovò... era quasi sera quando nello stadio vuoto si sentì un urlo... gooool... »

« Non ci credo. »

« ... quel raccattapalle si chiamava Gianfranco Zola... e divenne un campione anche lui... lo divenne perché quel giorno comprese ciò che prima aveva soltanto immaginato... nella vita il talento è tutto... ma non conta nulla senza il carattere... pura potenzialità... se non c'è la tenacia a dargli una forma... ricorda... l'ossigeno che tiene in vita la tua anima è la volontà di realizzare i suoi sogni... »

Tomàs ammutolì. La paura di essere giudicato da suo padre e deriso dai bambini più grandi aveva strangolato il suo desiderio di esprimersi. Si sforzò di inghiottirla tutta, ma la sentì acquattarsi in fondo alle viscere.

« Non riesco a farla morire. »

« ... allora lasciala vivere... la paura è come la timidezza... un male quando ti impedisce di sentire... ma un bene quando ti salva dal rischio della temerarietà... avanti... tira... »

« Non posso. La paura è scesa. In compenso è salita l'ansia. »

« ... chiedi gentilmente alla tua anima di calmarsi... »

« Glielo chiedo, ma non mi ascolta. »

« ... quel tiro vigliacco l'ha scollegata... riattacca il filo... sì! »

Lys gli pose entrambe le mani sul plesso solare e Tomàs si sentì invadere da una forza tranquilla.

« Riattacco il filo, sì! » ripeté, come se stesse parlando a qualcuno che abitava dentro di lui.

Unì l'indice al pollice della mano sinistra. Allora sentì il suo cuore in equilibrio e gli venne voglia di tirare una stecca senza senso.

« ... come va... piccolino...? »

« La biglia sfreccia lungo la pista. Aderisce alla curva. Prende velocità. Supera tutte le altre. Atterra per prima oltre il traguardo. Sìììììì! »

Era lui, adesso, ad abbracciare la Massaggiatrice d'Anime. Attraverso l'acqua la sentì sussurrare ancora una frase.

« ... nelle dita di ciascun uomo è racchiuso un miracolo... in fondo non è così difficile... basta rimettersi in pista ogni volta che si esce... e appena il cuore è in equilibrio... tirare una stecca senza senso... »

Lys continuò a cullarlo fino a quando Tomàs si addormentò.

LA VASCA DEL SOLE

Dove un uomo si perde nella contemplazione del passato
e una coppia coniuga i verbi al futuro.

XXXIII

Lo avevano abbandonato seminudo dentro un igloo. In preda al freddo e alla fame, Tomàs spalancò il frigorifero, non senza chiedersi che senso avesse un frigorifero dentro un igloo. Ne estrasse una bistecca talmente dura che quando iniziò a masticarla i denti si staccarono dalle gengive. La fame si era placata, ma il freddo gli scuoteva ancora le membra. Aveva una voce di donna. Una donna piuttosto alterata.

« Ma ti vuoi svegliare? Nelle favole non è mai il principe azzurro quello che si addormenta! »

« Chi sei? » biascicò Tomàs, passandosi la lingua fra i denti per controllare che fossero al loro posto.

« La sirenetta dei surgelati. »

Aprì mezzo occhio e riconobbe Morena. Era sdraiata accanto a lui su uno scoglio, fradicia e tutta tremante, e incominciò a parlargli della Massaggiatrice d'Anime come di una vecchia amica con la quale aveva passeggiato amabilmente fra i ruderi della sua infanzia.

« Ho fatto un sogno in cui perdevo i denti », la interruppe Tomàs, insinuandosi in una delle rare pause che lei concedeva alla respirazione.

« Significa che ti è appena morta una persona cara. »

« Era mia madre. »

« Oh, mi dispiace. Immagino che sarebbe stata contenta di conoscermi. »

« È successo tanto tempo fa. »

« E te ne sei accorto soltanto adesso? »

« In un certo senso sì. »

Lo avevano abbandonato su uno scoglio con una donna egocentrica e narcisista. Ma il colmo della disgrazia era che si sentiva felice.

Guardò sotto di sé. Il loro rifugio sorgeva al centro di una piscina vuota, contro la quale andava accanendosi il sole più inutile dell'universo: pur essendo rovente, non riusciva a scaldarli.

Vennero raggiunti da Noah, che si arrampicò sullo scoglio con l'agilità di un adolescente. Aveva le braccia cariche di asciugamani per frizionare i corpi intirizziti.

« Ti ringrazio », lo accolse Morena. « Questi panni sulla pelle sono come un sorso d'acqua in una bocca piena di sale. Una bellezza che seppellisce le brutture del mondo. »

Il suo corpo si asciugò.

« La gratitudine asciuga », disse il vecchio, « ma perché riscaldi occorre sia condivisa. »

« Sta cercando di dirti che, se non esprimerai pure tu un po' di gratitudine, diventeremo entrambi dei ghiaccioli », tradusse Morena.

« La gratitudine è sensibile soltanto alle frasi solenni o accetta di asciugare anche persone meno auliche, per esempio me? » chiese Tomàs, che nonostante si strofinasse dappertutto continuava a sentirsi fradicio.

« Se vuoi gratitudine, compila una lista di ciò a cui sei grato. Attira la fortuna chi si rende conto di quella che ha già », sentenziò Noah.

« A me viene in mente soltanto una lista di ciò che mi fa arrabbiare. »

« Ti è stato insegnato che la parola crea. Se la utilizzi per compiangerti non farai che alimentare l'oggetto del tuo malumore.»

Tomàs soffiò, e non solo per scaldarsi. Non riusciva più a reggere la prosopopea di quel saccente. Proprio allora Morena si scrollò i capelli, spargendogli addosso un nubifragio di goccioline.

«Ti sono grato per avermi innaffiato», le disse.

«Ma sei un lamento perpetuo!»

«Stavo già compilando la lista.»

«Smetti di fare la vittima o questo sole non ci scalderà mai.»

«Ci proverò. Sono grato al mio corpo: avrei preferito guance meno rotonde e capelli meno arruffati, ma poteva andare peggio. Sono grato alla mia anima: ho sentito tanto parlare di lei e mi piacerebbe conoscerla. Sono grato alla mia timidezza che talvolta riesce a preservarmi dall'arroganza. Sono grato alla mia fantasia e ai libri che mi forniscono gli strumenti per allenarla. Così va un po' meglio?»

«La gratitudine deve abbracciare tutto», specificò Noah. «Il sereno e le nuvole, i sorrisi e le lacrime... la madre e il padre.»

«Io non sarò mai grato a mio padre.»

Da sotto gli asciugamani il vecchio estrasse un catino di zinco che i due naufraghi conoscevano piuttosto bene.

«È tempo che anche tu faccia uso della bacinella sputa vita», disse posando i suoi occhi luminosi sopra Tomàs.

«Non ci penso proprio!»

Noah appoggiò in terra il catino, poi scese dallo scoglio con la stessa agilità con cui vi era salito e scomparve nella radura.

Morena si avvicinò a Tomàs e gli passò una mano fra i capelli bagnati.

« Perché odi tanto tuo padre? Non può essere stato peggiore del mio. »

Folate di vento gelido le sferzavano l'asciugamano sottile, che aderiva alle sue forme come una seconda pelle, rendendola ancor più desiderabile.

« Moriremo di freddo, se non fai qualcosa », insistette.

Tomàs sospirò e prese in mano la bacinella.

XXXIV

Sputò che suo padre, rimasto vedovo, aveva smarrito il desiderio di vivere. Trascorreva le sere con lo sguardo fisso al televisore, in cerca di qualche film western che lo stordisse di spari. Una volta Tomàs si era alzato dal divano e aveva abbassato il volume: « Ti prego, papà, stasera guarda me ». Non era servito a nulla.

Il padre aveva venduto la loro piccola azienda ed era scomparso, dimenticando l'orfano a casa di una sorella nubile, con la presunzione di dare una famiglia a tutti e due.

Lui l'aveva ribattezzata zia Tristina. Vestiva sempre di marrone e in cima alla nuca teneva una palla di capelli grigi che non scioglieva mai. Se la sensibilità è uno strumento, alla sua mancava una corda. Abituato agli abbracci materni che sembravano colluttazioni, le era andato incontro col cuore spalancato. Ma il corpo duro della zia lo aveva respinto: « Mi spiace, Tomàs, non sarò mai capace di volerti bene, però mi prenderò cura di te ». Aveva mantenuto entrambe le promesse.

Un giorno era entrato in salotto un uomo alto e magro. Zia Tristina lo chiamava Signor Notaio. Si era dilungato nel racconto di un albergo in riva al mare, che suo padre aveva comprato con i soldi dell'azienda venduta. Signor Notaio insisteva per accompagnarcelo. Invece lui aveva chiesto un passaggio al dottor Bo, che conosceva bene tutta la storia. Era l'albergo in cui i suoi genitori avevano trascorso la prima notte di nozze. Ci erano tornati altre volte:

il loro unico figlio era stato concepito lì, al ritmo della risacca, in una notte foderata di stelle.

Al bancone dell'accoglienza era stato ricevuto da una donna vestita di bianco che lo aveva condotto all'ultimo piano, in una terrazza apparecchiata sul mare. Affogato in una poltrona immensa di cuoio nero, giaceva suo padre. Aveva una coperta da vecchio sopra le gambe e guardava la linea dell'orizzonte. Era andato deteriorandosi, come un mobile di pregio esposto alle intemperie.

Tomàs gli era corso addosso: « Torna a casa, papà ». Ma l'uomo non aveva staccato gli occhi dall'orizzonte: « È questa la mia casa. Se ne sarai degno, un giorno diventerà la tua ».

« Perché non mi sopporta? » aveva urlato sulla via del ritorno al dottor Bo. « Gli ricordi troppo qualcuno che non può più avere. Fra tante malattie della psiche, tuo padre ha contratto una delle più terribili: il morbo dell'amor perduto. »

Gli anni si erano addossati agli anni. Implacabile, ogni tre mesi, Signor Notaio spediva un assegno per coprire le spese della scuola. E implacabili, a ogni anniversario, fra i necrologi del giornale spuntavano frasi come queste.

Mi sembra di cadere all'infinito. A volte ti sento alle mie spalle. Eri tu quel gabbiano che ho visto pettinare le onde poco fa? Scappo dagli inganni della memoria perché portano soltanto rughe nel mio cuore. Voglio presentarmi a te con il cuore liscio di un bambino, amore mio...

L'ultima riga recava la firma di suo padre e una dedica che a lui era sempre sembrata insopportabilmente retorica.

A un angelo che non vola più.

Una volta Signor Notaio era venuto a consegnargli l'assegno di persona. « Tuo padre sta per morire, te la sentiresti di vederlo?» Tomàs aveva pensato alla terrazza sul mare, alla coperta sulle gambe. Poi aveva scosso la testa e gli era partito uno starnuto, il primo di una lunga serie.

Smise di sputare nella bacinella e tacque.

«Ecco un uomo che non ha mai cambiato idea sull'amore.» Morena aveva lo sguardo acquoso di chi sta per piangere.

«Non confondere anche tu l'amore con la pazzia! Gli Uomini Roccia come mio padre sono dei bluff. Le donne si lasciano affascinare dall'energia che emanano, salvo lamentarsi in seguito della loro rigidità e pretendere da quei musoni la stessa effervescenza che le asfissiava nei fidanzati precedenti.»

«Parli così perché avresti voluto assomigliargli.»

«Non è vero. Gli Uomini Roccia hanno un equilibrio precario. Lui traeva da mia madre tutta la sua forza. Scomparsa lei, si sentì perduto. Ha voluto fermare il tempo. Punirsi. E punire me che gliela ricordavo. Se almeno me lo avesse chiesto, mi sarei messo una maschera.»

«Forse lo hai fatto, non credi?» Morena gli passò le dita fra i capelli arruffati. «Davvero ti sei rifiutato di andarlo a trovare sul letto di morte?»

«Non feci in tempo a cambiare idea. Raggiunse mia madre la settimana dopo. 'So che mi stai aspettando...' furono le sue ultime parole. Me le riferirono le infermiere. Adesso i loro corpi sono sepolti uno accanto all'altro. Quanto alle anime, spero si siano fuse insieme da qualche parte.»

«Che ne è stato dell'albergo?»

«Nel testamento mio padre volle che diventasse una casa di cura per malati terminali d'amore come lui.»

«E il nuovo proprietario cosa ne pensa?»

« Il nuovo proprietario sono io. Ma non me ne sono mai occupato. C'è un direttore molto bravo. »

« Però non l'hai ceduto », rimarcò Morena con soddisfazione.

« Il testamento mi impediva di farlo per un certo periodo. Il termine sta per scadere. »

« E, se dovessi ritornare a casa, lo venderai? »

« Quale alternativa suggerisci? »

« Cambiare lavoro e trasferirti al mare. A dare una mano a quei dottori. »

« Non ho una laurea in psicologia amorosa. »

« Nessuno ce l'ha. »

« Potrei fare soltanto il paziente. »

« Sarebbe già qualcosa, no? »

Tomàs rabbrividì e rammentò di essere ancora bagnato.

« Sii grato a tuo padre: ti ha insegnato l'amore », insistette Morena.

« Mi ha insegnato ad averne paura. L'amore è una bestia che ti mangia il cuore e scompare. O, come nel suo caso, si attacca alla gola e ti spolpa. »

« È per questo che sei scappato dalla vita? »

« E tu? Non vorrai mica dirmi che sei grata a quel tuo padre violento e ubriacone? »

« Se non fosse stato il mostro che era, io non avrei mai avuto la forza di diventare me. »

« Con questo genere di risposte si arriva a giustificare qualsiasi schifezza. »

« Solo quelle che ti aiutano a crescere. Avanti, ringrazialo. »

« Non insistere. In fondo era un uomo debole che la mia fantasia ha preteso di trasformare in un eroe. Ha fatto quel che poteva e mi ha amato come poteva. »

«Non lo hai ancora ringraziato, Tomàs.»

«Ma sto incominciando a mettermi nei suoi panni e a perdonarlo. Preferisco ringraziare le donne. Quelle che ho ferito io. E quelle che hanno ferito me. L'ultima, in particolare, mi ha riacceso la speranza. Senza di lei, adesso sarei altrove. Mentre l'unico luogo in cui vorrei essere è qui, su questo scoglio.»

Dopo aver rivolto un pensiero così nobile ad Arianna, si sentì la coscienza più leggera. Mise un braccio intorno alla vita di Morena e la attirò a sé.

Lei abbandonò la testa sulla sua spalla.

«Anch'io ti ringrazio, perché ogni volta che morivo di freddo ho sempre desiderato che qualcuno mi mettesse un braccio intorno alla vita e mi attirasse a sé.»

Si strinsero l'uno all'altra, colmi di gratitudine, e finalmente il sole li riscaldò.

XXXV

Passò tempo e tempo. Venne la notte e ritornò l'alba. Morena e Tomàs guardarono la piscina vuota sotto di loro. Era punteggiata di ninfee ricoperte da un pulviscolo bianco che si sciolse al calore del primo raggio di sole e scivolò nella vasca, goccia dopo goccia, colmandola di rugiada fino all'orlo.

Rotolarono dentro quel lago di fate. L'energia li invadeva come se avessero divorato mille draghi o ammirato mille capolavori, mentre i getti d'acqua che uscivano dai bocchettoni li frizionavano senza sosta.

« Gli idromassaggi di rugiada mostreranno il futuro agli innamorati », annunciò Noah, spuntando dalla radura.

« Niente e nessuno può mostrare il futuro », lo contestò Tomàs, che ne aveva paura.

« Ma cosa dici? Il futuro esiste già », intervenne Morena.

« Che logica da femmina. Se soltanto gli innamorati riescono a coniugare i verbi al futuro, significa che il futuro esiste nel futuro. Altrimenti non esisterebbero neanche gli innamorati. »

« Che logica da maschio. Gli innamorati sono in sintonia con il tempo dell'amore, che è l'eterno presente. Non te lo ha spiegato Lys, cullandoti sotto la luna? Nella vita vera tutto accade contemporaneamente. »

« Quindi la vita che noi conosciamo non sarebbe vera? »

« È un campo di allenamento. Diventa vera solo quando ci amiamo. »

Tomàs avrebbe voluto replicare, ma gli idromassaggi sulla schiena si fecero così intensi che perse conoscenza. Ebbe la visione di se stesso seduto sul divano di un salotto, fra quadri enormi che ritraevano Morena. Comprese che si trattava di un giorno che già esisteva da qualche parte, ma che lui non aveva ancora vissuto, e incominciò a coniugare i verbi al futuro.

« Sarò a casa sua e lei mi siederà accanto, la testa contro la mia spalla. Avrò sempre l'impulso di scappare, ma stavolta gli starnuti mi moriranno in gola. Allora la attirerò a me. I nostri corpi si incastreranno con qualche pudore, finché non diventeranno una cosa unica. Saliremo con movimenti fluidi su una giostra di piacevolezze e afferreremo per un attimo l'essenza di tutte le cose. »

Tomàs si muoveva nella vasca del Sole come un sonnambulo. Abbozzò un passo laterale e i massaggi di rugiada si trasferirono dalla colonna vertebrale ai muscoli del collo.

« Saremo sempre sullo stesso divano. Io seduto e lei sdraiata: appoggerà la testa al mio petto, dondolando una mano nel vuoto. Insieme cercheremo sul mappamondo un luogo abbastanza ignoto a entrambi per poter condividere l'ebbrezza della scoperta. Io proporrò un atollo in mezzo all'oceano. Lei farà i capricci e rilancerà: un'oasi in mezzo al deserto. Alla fine ci accorderemo per restare dove siamo: un appartamento in mezzo alla città. La vasca da bagno sarà il nostro oceano e la moquette rossa il nostro deserto. Seguiranno acrobazie amorose, intervallate da discorsi struggenti. Ci diremo quel genere di frasi che gli amanti si sussurrano soltanto negli orecchi. »

Dentro la piscina Tomàs azzardò un passo ulteriore. L'idromassaggio lasciò in pace i muscoli del collo per andare a sferzare quelli dell'addome. Il futuro lo aspettava sul solito divano: lui era seduto e batteva nervosamente le dita contro il bracciolo. Il tempo era passato sopra la loro passione, depositando una patina che entrambi conoscevano bene.

« Morena sarà in piedi a braccia conserte. Io le rinfaccerò di essersi accartocciata al telefono con un uomo dalla voce sgradevole. Lei mi replicherà che non ha mai considerato intelligenti gli uomini gelosi. Io le dirò che non sopporto che incoraggi ogni genere di maschio con i suoi modi ammiccanti. Lei si riterrà offesa e mi tirerà uno schiaffo. Poi scoppierà a piangere, come se lo schiaffo glielo avessi tirato io. I nostri corpi si incastreranno con furia e firmeranno una pace provvisoria. »

Nella vasca del Sole l'idromassaggio all'addome si esaurì. Tomàs rimase immobile, perché sapeva che la prossima ondata di futuro si sarebbe trascinata il relitto di una cattiva notizia, ma la sentì esplodere sotto le piante dei piedi e dovette tenersi al bordo della piscina per non cadere.

« Sarò seduto sul divano, con un fazzoletto sul naso per smorzare gli starnuti. Morena, rigida accanto alla porta, indosserà un giubbotto di pelle, una minigonna nera e degli stivaletti in tinta. Avrà uno sguardo dimesso che mal si combinerà con l'abbigliamento da guerrigliera. Mi dirà che è ricomparso Mokò, il regista ubriacone, per prometterle tutto ciò che le aveva sempre negato: il matrimonio, un figlio, un film decente. Aggiungerà che il suo ex l'ha invitata a cena in un ristorante vegetariano e che lei ha accettato. 'Almeno questo glielo devo', mormorerà. 'Tu a quello zombie non devi proprio nulla', risponderò io, ma Morena non potrà udirmi. Si sarà già richiusa la porta alle spalle. »

Aggrappato al bordo della piscina, Tomàs cercò di accelerare il futuro, ma il fiotto di rugiada sotto i piedi gli impediva di staccarsi dal fondo della vasca. Avrebbe dovuto scontare lo strazio fino alla fine.

« Sarò ancora sul divano. Da solo. Penserò che in amore non ho mai avuto una predisposizione per i triangoli e le figure geometriche in genere, trovando già abbastanza complicato tracciare una linea sghemba fra me stesso e un'altra persona. Sarò assalito dalla paura di venire scartato e non riuscirò a capacitarmi che un fuggitivo provetto come me possa essersi lasciato di nuovo intrappolare nei lacci di una relazione provvisoria. Ma ormai sarà troppo tardi per tornare indietro. La gelosia e l'orgoglio ferito mi spingeranno al contrattacco. Vorrò sapere. Vorrò capire. Vorrò fare. Ma fare cosa? Possibile che, all'improvviso, amarla non sarà più sufficiente? »

Finalmente superò la pressione contraria dell'acqua e riuscì a fare un passo indietro. Si guardò intorno e si accorse di essere solo. Qualcuno aveva chiuso i bocchettoni degli idromassaggi, portandosi via Morena e il suo futuro.

XXXVI

Tomàs si arrampicò sopra lo scoglio della Gratitudine con un bisogno disperato di sfogarsi. Il suo sguardo cadde su una lucertola spalmata contro la roccia. Aveva la pelle di un verde intenso, come tutto ciò che si nutre di sole, mentre gli occhietti gelatinosi da drago galleggiavano in un altrove che sembrava appartenere ad altre dimensioni. La considerò un'ascoltatrice affidabile.

« Ho camminato nel mio futuro », le disse. « Riuscirò a stare di nuovo con una donna senza starnutire. Però poi lei mi lascerà per tornare dal suo ex. »

La lucertola non si mosse. I suoi occhietti da drago erano umidi, attenti: sembravano quelli del dottor Bo.

« Non so se qualcuno ti abbia mai lasciato », proseguì Tomàs. « Se hai conosciuto anche tu questo strappo improvviso al centro dello stomaco. Quando il distacco diventa ossessione e si mescola alla paura che non troverai più niente di simile a ciò che hai appena perduto. »

Ripensò a suo padre, sprofondato nella poltrona davanti al mare, e per sfuggirne il fantasma incominciò a girare intorno alla lucertola.

« Guardami, sono pervaso da un attivismo isterico, nella convinzione assurda che tocchi a me ricucire lo strappo deciso da lei. Dovrei rimanere calmo, lo so. Ma in certi casi la calma diventa una resa. Stare fermo significa soffrire subito. Mentre il movimento assomiglia a un debito gravato di interessi: costa maggior dolore, però lo dilaziona nel tempo.»

Si arrestò, folgorato da un'ispirazione.

«Nel momento in cui la rugiada riprenderà a massaggiarmi, tornerò a coniugare i verbi al futuro. Ma stavolta non aspetterò sul divano del salotto. Andrò da quei due al ristorante, chiamerò Morena da parte e le dirò... Niente, non le dirò niente, mi limiterò a guardarla negli occhi. Nei sentimenti contano i gesti, non i fiati. Quando si affacciano i problemi, le persone smettono di dare amore e iniziano a parlarne.»

Tomàs continuò a farlo per un periodo indefinito. La sua interlocutrice lo ascoltava senza interrompere, eppure sembrava sempre sul punto di voler dire qualcosa.

Si sentì un ronzio sopra le loro teste e la lucertola saettò nell'aria la sua lingua di fuoco. Agguantò l'insetto, lo deglutì e ritornò nella postura immobile di prima. Gli occhietti gelatinosi da drago avevano ripreso a galleggiare in un altrove che sembrava appartenere ad altre dimensioni.

La difesa della sconfitta. Ecco che cos'aveva voluto ricordargli. Anche lei sentiva uno strappo al centro dello stomaco: era la fame. Ma, a differenza degli animali che si agitavano in cerca di cibo, aveva scelto di andare a ritmo con l'universo, spalmandosi contro una roccia in vigile attesa.

Tomàs si inchinò dinanzi all'esperienza superiore dei rettili. La speranza che qualche azione enfatica potesse capovolgere una situazione compromessa era il tipico inganno del cuore. Se Morena lo avesse trovato fuori dal ristorante, non avrebbe provato desiderio, ma senso di asfissia. E lui l'avrebbe detestata perché si sarebbe sentito ridicolo.

L'amore è una danza in cui i ballerini non devono compiere per forza gli stessi passi, però li devono compiere insieme. Se uno si ferma e l'altro continua a ballare, la coppia si pesta i piedi e alla fine si stacca. Morena si era fermata? Avrebbe dovuto farlo anche lui. Darle il tempo di chiudere con il passato e ritornare in pista. La scelta di coraggio consisteva nel rimanere immobile fino a quando la musica non fosse cambiata.

Tomàs si sdraiò accanto alla lucertola. Attese che arrivasse il buio e poi di nuovo la luce. Ma non appena si rialzò, avvertì un dolore invadergli lo stomaco con la violenza di un intruso. Ogni ferita fa più male il giorno dopo, e neanche le sofferenze d'amore sfuggono alla dura legge del risveglio.

Tornò a immergersi nella vasca del Sole e si preparava a reggere l'urto degli idromassaggi di rugiada quando vide Noah sul bordo della piscina.

« Se vuoi andare oltre, dovrai passare lì sotto », sentenziò il Medico delle Acque, indicandogli un piccolo arco di pietra alla base dello scoglio.

Tomàs non era più così sicuro di voler andare oltre. Le storie d'amore affollate alimentano il senso eroico dell'esistenza, ma disperdono la vita in tattiche e strategie, rinviando il momento della resa dei conti con se stessi. Come aveva scritto in un racconto poi appallottolato, « la persona giusta non è mai la preda da strappare a un rivale, ma una creatura che entra nel giardino della nostra vita con il passo inesorabile della predestinata ».

« Il giardino della nostra vita » era stata l'espressione che lo aveva convinto a dirottare il suo sproloquio nel cestino.

Decise che non sarebbe andato oltre. Proprio mentre giungeva a questa conclusione sentì il dolore della perdita accelerare nel suo stomaco. Tentò di combatterlo, ma non bastò ripetersi che anche con Morena una sera sarebbero finiti a letto e avrebbero solo guardato la tivù. Non bastò immaginarla in atteggiamenti grotteschi: all'improvviso gli sembravano tutti meravigliosi. Non bastò neppure richiamarsi al buon senso dei luoghi comuni che sussurrava: lascia perdere, è finita. Le leggi dell'amore sono matematiche, ma il desiderio frustrato detesta avere torto e c'è sempre un'eccezione in affitto per i cuori disperati.

Il pensiero che Morena riuscisse a gioire con qualcun altro lo assalì con la furia di una devastazione. Aveva bisogno di un bersaglio contro il quale indirizzare la sua rabbia e non gli fu difficile trovarlo.

Mokò. Ex fidanzato, ma tuttora ubriacone. Il presidente della Arroganti & Insensibili. Non poteva essere diventato un santo all'improvviso. La sua conversione biforcuta dipendeva da un istinto animalesco: aveva annusato che la donna su cui si vantava di esercitare un controllo era pronta a riprendersi la libertà. Quanti ne aveva conosciuti, di questi bulli del cuore? Sparivano, tornavano e sparivano di nuovo, appena il pericolo era passato. Emanando sempre la stessa aria da proprietari.

Quel villano imbottito possedeva ancora le chiavi per entrare nel cuore di Morena e svaligiarglielo. Ma lui non si sarebbe arreso senza combattere. La persona giusta è un premio, non un regalo. Quando le forze dell'universo sembrano cospirare contro di noi, non lo fanno per dissuaderci dall'obiettivo, ma per renderci consapevoli della sua importanza. E pazienza se nel racconto appallottolato aveva sostenuto il contrario. Il cestino non avrebbe fatto la spia.

Si diresse con piglio da guerriero verso l'arco di pietra e vi passò sotto. Fu ricoperto da una cascata d'acqua gelida e la rugiada gli entrò negli occhi come una spada di luce. Ogni zampillo era un ago e ogni ago la parola di una lingua antichissima che i suoi orecchi cercavano di decrittare in mezzo al frastuono. Si trattava di una lingua che lui conosceva bene, pur non avendola mai sentita né parlata, e che lo faceva entrare in sintonia con il cuore degli uomini. Apprese che Morena non aveva mai davvero chiuso la storia con il suo ex. Era stata lei stessa a rivelarglielo nella grotta del Noi, ma lui aveva trovato più comodo dimenticarsene, perché uno tende a non cogliere i segnali che contrastano con i suoi desideri.

Tese le braccia in avanti e le mani sfiorarono quelle di Morena, che arrivava dalla parte opposta dell'arco. Era fradicia e tutta tremante.

XXXVII

«Non hai niente da dirmi?» la aggredì Tomàs con il cuore in tumulto, dopo che si furono messi al riparo in cima allo scoglio della Gratitudine.

«Oh, tante cose. Ma prima vorrei sentire quelle che hai da dirmi tu.»

Sorpreso e anche un po' preoccupato dal suo moto d'altruismo, le raccontò il futuro che aveva coniugato sotto la sferza degli idromassaggi: l'incastro dei corpi e la comunione dei progetti, la prima crisi e il ritorno dell'ex.

Morena ascoltò senza interrompere. Poi gli rivolse un sorriso pacificato che non prometteva nulla di buono.

«Tocca a me? Primi getti di rugiada lungo la schiena e vedo noi due, incastrati sul divano del mio salotto. Saremo una cosa unica. Io avrò imparato ad affidarmi. E tu a non scappare. Ma appena il massaggio colpisce i muscoli del collo, spunterà Mokò. Il regista.»

«L'ubriacone.»

«Ha smesso di bere, ha ricominciato a desiderare. E tutto ciò che desidera è farmi felice. Mi inviterà a cena in un ristorante vegetariano e io ci andrò. Almeno questo glielo devo.»

«Tu a quello zombie non devi proprio niente.»

«Cena angosciante. Gli parlerò di te e mi farà una scenata di gelosia. Tornerò a casa confusa. Eppure faremo meravigliosamente l'amore.»

«Tu e lui?»

«Io e te, stupido. Però nei giorni seguenti entrerò in crisi. Giusta o sbagliata, Mokò è stata la grande passione della mia vita. Idromassaggio all'addome: sentirò di dovergli concedere un'ultima opportunità. La sua conversione appagherà il mio senso di rivincita e ci rimetteremo insieme.»

«Bentornata nella bocca del Pescecane.»

«Aspetta. Lo sorprenderò con la mia segretaria: avevi ragione tu a diffidarne. Prima Mokò negherà tutto. Poi mi chiederà perdono in ginocchio. Ma io avrò smesso di credergli. Ho passato la vita a desiderare che fosse la persona giusta. Il guaio è che una persona non diventa giusta solo perché tu lo desideri.»

«Non ci hanno spiegato che i desideri possono cambiare la realtà?»

«Ma non quelli sbagliati. Con Mokò si sarà rotto qualcosa, stavolta per sempre. Mi darà il voltastomaco... Ci hai fatto caso? Ti liberi da un vizio solo quando il suo pensiero ti provoca nausea. E così tornerò da te.»

«Dove sarò sparito nel frattempo?»

«Ti sarai comportato da maschio, accettando la mia decisione senza dare in escandescenze e difendendo la sconfitta con dignità. Avrai smesso di cercarmi e io mi sarò accorta della tua mancanza.»

«Che stratega raffinato.»

«Non vantartene troppo. C'è ancora il getto di rugiada sotto i piedi... Ci metteremo di nuovo insieme, ma non funzionerà. Siamo troppo diversi.»

«Questa l'ho già sentita.»

«Parlo il linguaggio della sincerità. Tu sei un uomo che mi stimola, mentre io ne voglio uno che mi argini. Ti considero un ponte fra le due sponde della mia vita. E non si può rimanere tutta la vita su un ponte. Però ti vorrò sempre bene perché ci siamo fatti del bene.»

«Traduzione: nutro per te un sentimento meraviglioso, lo stesso che provo per il mio criceto.»

«Ti meriti di meglio.»

«Traduzione: cercati un'altra che ti sopporti e non asfissiarmi oltre.»

«Nel futuro ti ho visto con una donna diversa da me. Avrà i capelli corvini, gli zigomi alti e le gambe flessuose... non proprio come le mie, ma quasi. Una combattente con i piedi fortemente appoggiati sulle nuvole. Ti condurrà alla scoperta di mondi che lei già conosce, ma che non potrà più abitare senza di te.»

«Mai frequentate donne del genere, signorina.»

«È solo uno dei futuri possibili. Puoi viverlo o scartarlo.»

«E se volessi viverlo con te?»

«Una persona non diventa giusta solo perché tu lo desideri.»

Morena gli consegnò una busta.

«È da parte del Medico delle Acque. Ha detto che l'ultima parte del percorso dovremo affrontarla da soli. Ma sono sicura che mi rivedrai da qualche parte. Sulla copertina di una rivista, magari.»

«La solita modestia, eh? Mi metterò a guardare *La Figlia del Pescecane* alla televisione. Promesso.»

«E *io* smetterò di farla. Promesso.»

Io le era uscito dalla bocca in modo nuovo: come una freccia che colpisce il bersaglio.

Pur di scampare agli strazi del distacco, Morena gli diede una carezza e si tuffò. In poche bracciate fu fuori dalla vasca. Infilò l'accappatoio e scomparve nella radura senza voltarsi indietro.

Tomàs sentì riaffiorare il buco nello stomaco. Fra le mani aveva sempre la busta. La strappò a un'estremità e ci infilò l'indice come una vanga. Si baloccò a immaginare il colpo di scena: una lettera d'amore da parte di colei che lo aveva appena abbandonato come un sacco di immondizia sullo scoglio della Gratitudine.

Che pensiero assurdo. Era soltanto la Fata Turchina.

... ti sei... dimenticato...?

LA TISANA DEL CORAGGIO

Dove Tomàs apprende la verità sulla
Fata Turchina, sul Cantastorie e sul proprio talento.

XXXVIII

Scese dallo scoglio anche lui e camminò fino al chiostro inondato di sole, ancora più confuso di quando vi era giunto la prima volta. Gli alberi, che aveva conosciuto spogli all'inizio dell'avventura, adesso si piegavano sotto il carico dei frutti. Stava passeggiando in un paradiso terrestre, eppure si sentì perduto.

Ma, com'era accaduto la mattina di un Natale lontano, una mano si posò sulla sua spalla. All'estremità della mano c'era il Cantastorie, che con l'altra reggeva il vassoio: accanto ai libri chiari era rimasta soltanto una tazza.

« *Non sentirti un reietto. Tutto è giusto e perfetto.* »

Tomàs avrebbe voluto gridare. Invece lo abbracciò.

« Giusto e perfetto questo caos? »

« *Gli uomini misurano la vita con un metro che non ha valore. Il cosmo conosce una sola legge: l'amore.* »

« Io soffro. Tutti soffriamo. E questo ospedale immenso tu lo chiami amore? »

« *Guardati intorno, è il solstizio d'estate. La natura è una festa a cui sono invitate quelle anime che hanno lavorato in inverno. Molto hai fatto di buono, è arrivato il momento di mostrarlo all'esterno.* »

Tomàs si accingeva a replicare qualcosa, ma Andrea lo fermò.

« *Senti che armonia: non la guastare, se non è più bella del silenzio la parola che stai per pronunciare.* »

« Il silenzio mi fa paura. »

«Sei forse uno di quei tipi superficiali che, per non ascoltarlo, applaudono persino ai funerali?»

«Sono uno di quei tipi che neanche ci vanno, ai funerali.»

«Poiché lo hai scordato, rinfrescartelo vorrei. La parola è degli uomini e l'arte degli angeli, ma il silenzio è degli dei. Il silenzio, sì, la lingua antica che riempì molte tavole. Dai miti alle leggende, dai testi sacri alle favole.»

«Le favole nascondono il linguaggio degli dei?»

Andrea non rispose subito, ma aprì uno dei libri con la copertina chiara.

«Lo spirito ribelle per la vita spasima: mille volte cade e mille si rialza, finché un corpo ottiene dalla sua anima.»

«Non capisco.»

«C'era una volta un burattino sottoposto a mille prove dal destino. Fata Turchina lo aiutò e lui un bambino diventò.»

«Pinocchio!»

«L'anima ha un nemico, l'ego, che la vuole annientare. Ma attraverso i sette cancelli del corpo essa si salverà. E il suo Verbo lo spirito attirare saprà.»

«Troppo difficile.»

«Biancaneve scampò alla Regina Cattiva, sette nani la resero finalmente giuliva. Il suo canto nel cuore di un ragazzo suonò: era il Principe Azzurro, che se ne innamorò.»

«Ingegnoso...»

«L'anima dormiva un grave sonno, assieme al corpo giaceva ormai corrosa. Ma lo spirito immortale la svegliò e subito ne fece la sua sposa.»

«La Bella Addormentata nel Bosco baciata dal Principe! È sempre la stessa storia che si ripete...»

«Passa attraverso mille strade la verità che cerca il viaggiatore, ma tutte conducono allo stesso luogo: l'amore.»

« E allora non sarebbe meglio spogliarlo dalle metafore, affinché l'intera umanità lo possa vedere? »

« Una luce troppo forte acceca chi sta nell'oscurità. Uno alla volta vanno tolti i veli, con infinita pietà. Solo chi è passato oltre il dolore potrà conoscere il volto vero dell'amore. »

Tomàs osservò il Cantastorie in silenzio. Immaginò di abitare il suo corpo e di pensare i suoi pensieri. Quella voce di donna e di uomo, insieme. Quelle fattezze di uomo e di donna, insieme.

« Se tutti i personaggi delle favole abitano dentro la stessa persona, allora anche tutto l'amore... »

Il Cantastorie sorrise.

« Tu sei... l'amore! » urlò Tomàs.

« Androgino è il mio nome. Colui che ha realizzato dentro di sé l'amore, mettendo insieme il maschio con la femmina ed entrambi col suo cuore. Io sono il sole e la luna, il pane e il vino. La luce e la tenebra, l'opaco e il cristallino. Il mare e le stelle, il suddito e il re. L'Uno che voi create in Due, io lo creo in me. »

« Chi ti ha dato questo potere? »

« Non è un potere, è una possibilità. Chiunque evolve coglierla potrà. »

« Vuoi dire che diventerò anch'io un uomo ad anfora? »

« Forse il mio aspetto non rappresenta il tuo ideale, ma è un simbolo per dirti che ognuno può essere speciale. Tu un portento sarai, presa la giusta via. Se il tuo talento troverai, paura non saprai più cosa sia. »

« Il mio talento è mettermi nei panni degli altri », bisbigliò Tomàs, e si rese conto di averlo compreso nell'istante in cui lo diceva.

« Finalmente hai scovato la tua pista: osservare il mondo da vari punti di vista! »

« Ma per mettermi nei panni degli altri, dovrei sentire la vita come se fossi loro. Impossibile. »

« Non come loro, ma con loro. Si chiama compassione ed è il tesoro che servirà a compiere la tua missione. »

« E quale sarebbe, la mia missione? »

« Rispondere a questo non è il mio ruolo. La tua missione dovrai scoprirla da solo. »

Gli versò nella tazza un infuso verde smeraldo.

« La tisana di verbena. Le sue erbe ho raccolto nella notte del solstizio, quando l'energia di Madre Terra viene giù dal precipizio e battezzerà nel fuoco l'uomo diventato saggio, per infondergli il potere senza uguali del coraggio. »

Andrea prese in mano un altro libro chiaro e incominciò a rac-cantare.

XXXIX

IL RAC-CANTO DI SALVATORE

Diceva sempre: « Se qualcuno chiede aiuto, non si deve pensare. Si deve correre ».

Aveva gli anni del Signore
e si chiamava Salvatore
una Francesca da sposare
e un cane grosso col collare.

Nei giorni delle prime brume
li porta in gita lungo il fiume
sente la voce d'un bimbo urlare
« Aiuto affogo non so nuotare ».

Si tuffa il padre del bambino
sguardo dolente, un clandestino
si tuffa assieme a una signora
ma la corrente li divora.

Il bambino, la signora, il clandestino. Salvatore non sapeva chi fossero. Sapeva solo che, se qualcuno chiede aiuto, non si deve pensare. Si deve correre.

Si lancia nell'acqua gelata
riporta a riva la nidiata
salva il bambino la signora
il clandestino respira ancora.

In acqua resta Salvatore
stremato dal suo troppo amore
Morte lo afferra per le braccia
e in fondo al fiume lo ricaccia.

Ogni avventura ha il suo linguaggio
questa ti parla del coraggio
schiacciato in fondo ad un dolore
ma sempre vivo nel tuo cuore.

Schiacciato in fondo ad un dolore
ma sempre vivo nel tuo cuore.

Tomàs sollevò lo sguardo dalla tazza ormai vuota e incrociò quello dell'Androgino. Allora gli parve che un'onda di gioia s'infrangesse contro le rive della sua anima. L'onda cresceva sempre di più, finché sommerse ogni emozione e si innalzò in uno spruzzo di luce, riportandogli l'eco della voce di Arianna.

« Che cosa è stato? »

« Una visione t'attraversò la mente, nella memoria per sempre rimarrà. Prima di iniziare a combattere, un guerriero deve sapere per cosa lotterà. »

Il Cantastorie lo prese sotto braccio e insieme imboccarono il sentiero che conduceva alla vasca del Drago, da cui già una volta Tomàs aveva invano tentato di scappare. Entrarono nella piscina, evitando la coppia di fenicotteri addormentati su una zampa sola, e si arrestarono dinanzi alla statua che sputava acqua dalle narici: al momento si limitava a farla uscire con un fiotto leggero. Andrea lo invitò ad assaggiarla.

«Com'è amara!» disse Tomàs, dopo averne bevuto un sorso.

«La vasca del Drago ha un potere sconfinato. La alimentano le lacrime di chi dentro ci è passato. Ma adesso tocca a te, il mio compito è esaurito. Hai trovato il tuo talento, non sei più solo e spaurito. Qui una prova affronterai, la vivrai sulla tua pelle. E ricorda: sii umile perché sei fatto di sterco, ma sii nobile perché sei fatto di stelle.»

LA VASCA DEL DRAGO

Dove Tomàs si perde in un labirinto, ma una favola a lungo interrotta gli mostrerà l'uscita.

XL

Appena l'Androgino si fu allontanato, dal dorso della statua spuntarono quattro ali di pietra che circondarono la vasca da ogni parte. Ben presto Tomàs si ritrovò a brancolare nel buio, prigioniero di una scatola che si restringeva sempre di più.

Chiese appoggio all'unico sostegno rimasto, se stesso, ma ebbe paura anche di lui e non gli restò che piangere.

Pianse nella piscina tutte le lacrime che aveva risparmiato nel corso degli anni.

Pianse per gli amori smarriti, i sogni frustrati, i buoni propositi dimenticati.

Pianse fino a quando non ebbe ripulito i suoi nervi. Allora, nel silenzio del corpo, echeggiò limpida una voce.

« Rallenta il ritmo. Sì, rallenta, se vuoi arrivare al centro del tuo cuore. » Era la Voce Che Parlava Dentro e mai l'aveva udita scandire le frasi con tanta nitidezza.

Chiuse gli occhi e respirò col diaframma.

« Ricorda le parole del Cantastorie. Sì, le sue parole: sii umile. »

Tomàs fu umile e piegò le gambe. Le ginocchia strisciarono sul fondo della piscina, dove incontrarono una sporgenza. Si risollevò per spostarla con un movimento del piede e urtò lo spigolo di un gradino. Sotto la botola esisteva dunque un passaggio: trattenne il fiato, si immerse e lo imboccò.

Scese nel buio più totale, senz'altra bussola che un ronzio di fondo, come di calabrone in volo. Il rumore cresceva passo dopo passo, finché le gambe affondarono in una brodaglia torbida. Cadde e rotolò a lungo, rovinando infine ai margini di un rigagnolo.

Una luce biancastra volteggiava intorno a lui, illuminando uno spettacolo che lo disorientò: due enormi blocchi di ghiaccio ostruivano il cammino. Fu preso dall'impulso di tornare indietro, ma si ricordò della palude. Era al bivio fra due strade che non voleva percorrere. Sentì che la scelta di coraggio consisteva nell'andare avanti e la Voce Che Parlava Dentro si incaricò di tranquillizzarlo.

«Ricorda la pazienza della lucertola. Sì, la lucertola. Aspetta che la marea cresca e si ritiri, come le tue emozioni. Allora per un attimo fra i due blocchi si aprirà un varco. E tu lo coglierai. Sei un tiratore di biglie, non dimenticarlo.»

Passò tempo e tempo. Per non addormentarsi si raccantò le tisane del Cantastorie, immaginando di essere Nicole, il Tedesco, Salvatore: la volontà, il distacco, il coraggio. Erano i suoi angeli custodi e non lo avrebbero abbandonato.

L'acqua salì fino al collo e ridiscese sotto i polpacci. Poi l'ombra di un raggio invisibile si proiettò al centro degli iceberg, ricreando il profilo sinuoso di un serpente. Il silenzio venne rotto dal rumore del ghiaccio che si spaccava: fra i due blocchi si era creata una fessura. Sentì il suo cuore in equilibrio e gli venne voglia di tirare una stecca senza senso. Pensò a se stesso come alla biglia della sua infanzia e rotolò attraverso lo spiraglio, un attimo prima che si richiudesse.

Venne accecato da un bagliore e in bocca avvertì un sapore amaro: stava nuotando di nuovo fra le lacrime della vasca del Drago. La mano invisibile della corrente lo costrinse a girare intorno alla statua per tre volte, nel senso contrario a quello preferito dalle lancette dell'orologio, in attesa che gli occhi si riabituassero alla luce e scorgessero un cunicolo nelle fauci del mostro di pietra. Per esplorarlo sprofondò un'altra volta nel buio.

Si ritrovò dentro lo spazio chiuso di una caverna. Ne cercò l'uscita, tastando invano ogni centimetro delle pareti. Poi, esausto, lasciò cadere le braccia.

« Ricorda le parole del Cantastorie. Sì, le sue parole: sii nobile », lo ammonì la Voce Che Parlava Dentro.

Tomàs fu nobile e sollevò le braccia. Seppe così che la caverna non aveva soffitto. S'arrampicò nell'oscurità, finché intravide a oriente la luce fioca del giorno. Per l'ansia accelerò, ma mise un piede in fallo e precipitò indenne su una superficie morbida.

« Esci da te stesso. Sì, esci. Altrimenti le nevrosi finiranno per scorticarti, perché sarai sempre incapace di cogliere l'unità di tutte le cose. Esercita il tuo talento, mettiti nei panni di ciò che ti circonda. Che cosa vedi? »

« Il buio. »

« Osservati da fuori. Sì, da fuori. Che cosa vedi? »

« Il mio corpo che nuota nell'acqua. »

« Adesso da dentro. Sì, da dentro. Cambia il punto di vista. Che cosa vedi? »

« Dell'acqua che nuota in un corpo. »

« In un corpo. Sì, questo labirinto è il tuo corpo. E tu sei l'energia che scorre dentro di esso, attraverso i sette cancelli. Sei risalito dall'osso sacro all'eros, infilandoti nella fessura fra gli iceberg. Poi dall'eros all'ombelico: la vasca del Drago. Ma proprio quando stavi per raggiungere la camera del cuore sei precipitato. »

« Ho esaurito le forze. »

« Ti è rimasta l'unica che conta. Sì, l'unica. L'amore. Non chiedermi dove si trova. Lo sai già. Non devi imparare, devi solo ricordare. »

Tomàs chiuse gli occhi e sullo schermo nero prese forma l'immagine di una ragazza con gli zigomi alti e i capelli corvini. Appena li riaprì, una lama di luce illuminò i contorni della scena e si accorse di essere immerso fra le foglie di una pianta acquatica. Le radici si perdevano nella palude da cui aveva iniziato l'avventura, ma i rami si protendevano verso l'alto a perdita d'occhio.

Incastrata nel tronco, vide una di quelle barchette di carta che da bambino si divertiva a fabbricare con i fogli di giornale. Una cartolina sventolava al posto della vela. Il ritratto di Bella.

... vieni... a prendermi...

Ricominciò ad arrampicarsi come l'acrobata che non era mai stato, fino a quando le foglie non divennero così fitte da impedirglielo. Allora si appese a un ramo e lo risalì con la forza delle braccia, sbucando in una nicchia affacciata sopra una radura.

Un prato si stendeva sotto di lui. In mezzo all'erba era appoggiato un libro gigantesco. Una mano di vento ne sollevò la copertina chiara e sulla prima pagina apparve una vecchia, con il mento aguzzo e una rosa rossa fra le mani, che bussava alla porta di un castello. Le venne ad aprire un giovane dall'aspetto nobile. La donna gli offrì il fiore, poi disse qualcosa.

Lo spettatore tese le orecchie allo spasimo, ma dovevano avergli tolto il sonoro: poteva vedere i gesti dei personaggi, non ascoltarne le parole.

Il Principe strappò la rosa rossa dalle mani della vecchia e le chiuse la porta in faccia. D'incanto si dissolse e nella pagina successiva al suo posto apparve un mostro con gli occhi spenti e lo sguardo dannato.

Tomàs spalancò la bocca. Dal palco d'onore tra le fronde stava assistendo alla rappresentazione dell'ultima favola che sua madre gli aveva letto prima di morire.

XLI

Era la notte di Natale. La mamma era entrata nella sua stanza con un libro dalla copertina chiara. Poi si era seduta a fatica sul bordo del letto e gli aveva preso una mano fra le sue, sempre più magre. La faccia era così gonfia di medicine che lui aveva preferito continuare a guardarle le mani per tutto il tempo.

«Tomàs, mi devi promettere che avrai sempre cura di te», gli aveva detto. «Sappi che nei giorni in cui sarai felice, io ci sarò. Ma ci sarò di più nei giorni in cui sarai triste e arrabbiato con il mondo. Ci sarò per ricordarti una storia che contiene il segreto di tutte le cose. Si intitola *La Bella e la Bestia.* La vuoi ascoltare?»

Lui aveva spalancato la bocca, mentre la voce calda di sua madre incominciava a narrare di una vecchia col mento aguzzo che bussava alle porte di un castello incantato con una rosa rossa in mano, e di un principe che le sbatteva la porta in faccia, trasformandosi in un mostro. Ma dopo qualche pagina i suoi occhi di bambino si erano ritirati sotto le palpebre e aveva continuato a seguirla solo con gli orecchi, finché si erano arresi anche quelli.

Nella radura si udì uno starnuto. Non era mai riuscito a perdonarsi di aver ceduto al sonno prima dell'ultima riga. Da allora aveva incominciato a detestare le favole, *La Bella e la Bestia* in particolare: si era sempre rifiutato di sapere come andava a finire.

Dal gigantesco libro sdraiato in mezzo all'erba uscirono

un giovane azzimato e una ragazza, Bella. L'azzimato la corteggiava con insistenza, ma lei gli resisteva, saltellando senza sosta fra le pagine.

Una folata di vento spettinò i fogli. Adesso Bella era prigioniera nel Castello. Una porta si spalancò: apparve colui che era stato Principe e adesso era Bestia. La ragazza fuggì nella pagina successiva, dove venne attaccata da un branco di lupi. Erano i vizi, Tomàs lo sapeva bene. Vide Bestia uscire nella radura per disperderli, prima di crollare insanguinato al suolo.

Al risveglio il mostro afferrò la ragazza e Tomàs chiuse gli occhi per non assistere alla carneficina. Ma quando li riaprì, la Bella e la Bestia ballavano insieme nel salone del Castello.

All'improvviso le pagine si riempirono di uomini in armi. A guidarli era il corteggiatore respinto. Un orologio, un candelabro, una teiera e una tazzina difendevano il Castello, mentre Bestia si aggirava per le stanze senza voglia di combattere.

Tomàs avvertì in quel comportamento qualcosa di familiare. Chiamò in soccorso il suo talento e, armato soltanto di compassione, guardò attraverso la favola. Le tolse i veli, uno dopo l'altro. Comprese che Bestia era il suo corpo, il Castello il suo cuore e gli oggetti i suoi sensi irrigiditi, che nondimeno tentavano disperatamente di salvarlo. Quanto a Bella, era la sua anima ed era penetrata nel Castello per ricongiungersi con lui, risvegliando l'amore che lo avrebbe trasformato finalmente in un uomo.

Il corteggiatore azzimato tese l'arco e puntò una freccia infuocata contro il rivale. Si udì il rumore di un albero abbattuto. Bestia era caduto al suolo.

Tomàs fu invaso da una sonnolenza improvvisa ed ebbe

l'impulso di ritirare gli occhi sotto le palpebre, ma resistette. Bella era ricomparsa sulla scena e subito il mostro aveva ritrovato una ragione per lottare. Nonostante le ferite, si lanciò addosso all'avversario e riuscì facilmente a sopraffarlo. Ma quando si trattò di vibrargli il colpo mortale lo risparmiò, e gli concesse il suo perdono.

Il corteggiatore non aveva i medesimi scrupoli. Appena Bestia gli offrì le spalle lo attaccò a tradimento, pugnalandolo alla schiena. Ma nel compiere quel gesto disonorato mise un piede in fallo e precipitò nel vuoto.

« Perdonalo, era l'ego. Sì, la parte meno nobile di te che voleva impossessarsi della tua anima. Ha dovuto morire per permetterti di rinascere », spiegò la Voce Che Parlava Dentro.

In quel momento Bestia chiuse gli occhi per sempre. Bella lo avvolse fra le sue braccia e intonò una canzone che Tomàs non poté sentire, ma soltanto vedere. Era un'onda di luce che incedeva con la solennità di una processione e nel corso del viaggio raccoglieva ogni coppia alla deriva – il bene e il male, il giusto e l'ingiusto, la luce e la tenebra – e andava a depositarle su una distesa di silenzio.

Il cielo si riempì di stelle che avvolsero il corpo di Bestia in un pulviscolo d'oro. Quando le briciole di luce si furono diradate, in mezzo alla radura apparve il Principe in tutto il suo splendore. Afferrò Bella e insieme incominciarono a ballare. I loro piedi si muovevano con una maestria che avevano sempre ignorato di possedere, mentre i corpi disegnavano le traiettorie dei delfini fra le onde.

Tomàs fu invaso dalla meraviglia: come se si fosse appena risvegliato da un sogno e come se il sogno fosse stata la vita intera. Gli sembrava di possedere una bussola interiore capace di guidarlo in modo infallibile, senza bisogno dell'intervento della ragione. Comprese che quella radura era la camera del cuore e che lui stava risalendo il tempio del suo corpo per uscire dalla testa. Era un percorso semplice e preciso. Ogni ostacolo da affrontare e ogni cancello da varcare riunivano in sé la gioia e il dolore, la vittoria e la sconfitta.

Spiccò un salto e atterrò su una passerella di legno che si protendeva tra le fronde bagnate di rugiada. Un abisso di luce si spalancava sopra di lui: il cancello della gola, oltre il quale viveva la sua allergia. Con un ultimo starnuto lo oltrepassò e si ritrovò davanti a un altro cancello. Vide un altare con due candelabri accesi ai lati e una fiamma blu che divampava al centro. Intuì di trovarsi in mezzo alle sopracciglia, là dove sgorgano le sorgenti dell'amore.

Costeggiò i candelabri senza bruciarsi e un cancello più piccolo lo immise in una vasca d'argento ai piedi di una scala scintillante fra due serpentine di fuoco. Al culmine della salita si stagliava un trono. Nuotò attraverso la vasca e uscì dall'acqua così esausto che si spalmò contro il primo gradino: sembrava di ghiaccio, eppure scottava.

Tomàs alzò la testa. Sul trono sedeva una giovane donna. Era avvolta in un mantello d'oro da cui spuntava soltanto il piede destro, adagiato sopra un cuscino rosso. Tentò di strisciare verso di lei, ma i gradini ghiacciati si sfaldavano sotto il suo peso, trascinandolo inesorabilmente verso il basso.

Appena gli sembrò che le forze lo stessero abbandonando, venne invaso da una sensazione di leggerezza che non aveva mai conosciuto e si rizzò in piedi, lentamente. Un'energia maestosa si impadronì dei suoi pensieri, che la irradiarono a tutti i muscoli del corpo. Prese a salire le scale con balzi da fauno, senza lasciare tracce sul ghiaccio. Dopo ogni gradino si sentiva più audace e quando arrivò dinanzi alla donna la sua schiena era dritta e il suo sguardo fiero. Notò che il volto di lei era coperto da un velo.

« Se glielo togli, morirai », disse una voce dentro di lui, ma Tomàs riconobbe l'accento della paura e lo sollevò egualmente.

Riuscì a scorgere un sorriso serio che faceva poco uso delle labbra, prima che il velo scendesse di nuovo a ricoprirle gli zigomi alti e i capelli corvini. Brandiva una coppa dorata nella mano destra. Sul cuscino, sotto il suo piede, risplendeva una cartolina: non c'erano illustrazioni e il messaggio era inciso a caratteri di fiamma.

... ti stavo... aspettando...

La dama porse la coppa al cavaliere, che ne trangugiò un sorso. Era acqua di fuoco.

Obbedendo a un impulso che non poteva controllare, afferrò la ragazza e la attirò a sé. Ma rimase stupefatto quando la vide aderire alla propria pelle e compenetrarsi con essa fino a scomparire.

Allora ci fu un'esplosione di luce e Tomàs si ritrovò all'aperto, completamente solo, con una coppa dorata fra le mani.

XLII

I piedi di Tomàs affondavano nella vasca del Drago. Benché avesse compiuto un lungo viaggio, si trovava di nuovo al punto di partenza, e gli parve che gli occhi della statua lo studiassero con ironia. Bevve un sorso d'acqua di fuoco per rinfrancarsi e si spaventò: la coppa era quasi vuota.

« L'amore non condiviso evapora », gli ricordò la Voce Che Parlava Dentro. « Sì, evapora. Se non vuoi che la coppa si prosciughi, rendendo vano il cammino compiuto, è indispensabile che il tuo Io affoghi al più presto in un Noi. »

Volse le spalle alla statua e vide i due fenicotteri. Si erano svegliati, finalmente, e litigavano fra loro. Capì di essere stato uno stupido a invidiarli. Erano prigionieri di una gabbia senza sbarre e la nevrosi che li induceva a incrociare i becchi con tanta furia scaturiva dalla mancanza di libertà. Entrò nei loro cuori e li trovò colmi di una rabbia che disperdevano in gesti sconnessi. Sarebbe toccato a lui ricordare a due uccelli a che cosa servivano le ali?

Iniziò a sguazzare nella vasca. Era convinto che, se i fenicotteri si fossero lanciati al suo inseguimento, avrebbero riscoperto i propri istinti. Invece continuavano a guardarlo con indifferenza.

Raccolse un sassolino e lo gettò a un palmo da loro. Si mossero, zampettando isterici, senza neanche provare a staccarsi dal suolo. Li seguì su una passerella mimetizzata fra le alghe che saliva lungo la schiena del Drago.

Fu così che una coppia di fenicotteri attaccabrighe e un giovane uomo dai capelli arruffati raggiunsero la cima di un'altura. Guardando in basso, Tomàs poté ammirare la geometria delle Terme. Il sentiero di collegamento fra le vasche formava una stella con la punta rivolta verso l'alto che ne inglobava un'altra con la punta in basso: il chiostro. L'insieme esprimeva un senso di perfezione e di pace.

Ogni punta corrispondeva a uno dei luoghi che aveva frequentato. Riconobbe la palestra a forma di cubo, la vasca circolare della Luna, lo scoglio della Gratitudine e le tre vasche dell'Io che confluivano nella grotta del Noi. Avvertì un dolore al collo. Era la nostalgia. Resistette al richiamo e continuò ad avanzare, ma dopo pochi passi si accorse che i fenicotteri non lo seguivano.

« Non avete capito che siamo liberi? Dovete volare, volare! » e agitò le braccia per mimare il gesto, ricevendo in risposta degli sguardi vuoti.

« Può un uccello dimenticarsi di essere un uccello? » si domandò.

« Certo che può. Io non mi sono forse dimenticato per tutta la vita di essere un uomo? » si rispose.

Sfiorò con delicatezza le loro code e non ottenne reazione. Allora le pizzicò, ma fu inutile. La mancanza di esercizio le aveva atrofizzate.

« Come l'emisfero femminile del mio cervello. »

Stava per abbandonare i fenicotteri al loro destino quando commise l'imprudenza di guardarli, e ne ebbe compassione.

« Vi insegnerò io. »

C'era un unico modo per costringerli a volare. Togliere loro la terra sotto i piedi. Non conoscendo il vocabolario dei fenicotteri, avrebbe dovuto farsi capire con l'esempio.

In una direzione il sentiero scendeva a valle, verso la libertà, mentre nell'altra conduceva al limitare di uno strapiombo. Tomàs lo raggiunse e si affacciò sul vuoto. In basso vide la vasca del Drago, colma di lacrime fino all'orlo, che scintillava al sole. Per liberare due fenicotteri di cui non gli era mai importato niente sarebbe stato costretto a lanciarsi in un burrone, nella speranza che essi lo imitassero e, una volta sospesi in aria, si ricordassero di essere nati per volare.

Diede uno sguardo alla coppa: l'acqua di fuoco era ridotta a una goccia. L'ultima. Quando fosse evaporata anche quella, si sarebbe trovato ancora una volta senza amore.

Lui non era un uccello. Se avesse deciso di lanciarsi, quasi sicuramente si sarebbe spiaccicato. Ma anche nel caso in cui fosse sopravvissuto a una simile follia, avrebbe di nuovo portato il suo corpo alle Terme e tutto sarebbe stato inutile. Poteva rinunciare a una libertà così faticosamente conquistata per farne dono a due creature che nulla avevano compiuto per meritarsela?

Tomàs non ebbe dubbi. Tornò indietro di qualche passo e aspettò che il suo cuore fosse in equilibrio. Poi avvicinò le mani alla bocca, finché gli venne voglia di produrre un rumore senza senso. Eccitati dal richiamo, i fenicotteri avanzarono verso di lui con intenzioni bellicose.

Era il momento.

Si lanciò di corsa verso lo strapiombo. Arrivato sul ciglio, aprì le braccia e assunse istintivamente l'aspetto di una croce, mentre il fuoco del suo amore si risvegliava, risaliva dall'osso sacro attraverso i trentatré gradini delle vertebre, oltrepassava i sette cancelli del corpo, raggiungeva la testa e precipitava nuovamente dentro la camera del cuore in una scia di luce.

Anche Tomàs precipitò. Ma un attimo prima di schiantarsi contro l'acqua della piscina, sentì un battito d'ali sopra di sé. Vide i due fenicotteri in volo e sorrise.

Il suo ultimo pensiero fu che non era mai stato così felice.

LA VASCA DELL'AGAPE

Dove finalmente si parla del Più e del Meno,
si comprende chi è l'Anima Gemella
e addirittura si mangia.

XLIII

Era sdraiato su un lettino di vimini con un accappatoio indosso, al centro di una stanza abbastanza luminosa per assomigliare a un solarium, ma troppo fresca per esserlo davvero.

Eppure sono morto, pensò. E sorrise.

I morti non sorridevano, almeno questa era l'opinione più diffusa. Chiese soccorso alla memoria frastornata, che gli restituì il ricordo di un amore universale. Forse aveva sognato. Forse stava sognando ancora. Sentì il suono di un flauto in sottofondo e dalla penombra vide affiorare una vasca coperta da petali di rosa.

« Bentornato, signore. La stavamo aspettando. »

Stella Maris era accanto a lui. In una mano reggeva una rosa rossa e nell'altra il registro rilegato.

« Deve chiedermi alcuni dati per completare la scheda? » scherzò Tomàs.

« Non solo lei è un nuotatore degno della sua fama. Si è rivelato anche un ottimo tuffatore », ammise la Vestale Nera.

La divertiva di più lavorare con i bambini, ma l'uomo che le avevano affidato era stato capace di stupirla. Lo aveva visto precipitare in acqua con la fronte alta e gli arti spalancati. Al momento dell'impatto aveva unito le gambe e richiamato le braccia accanto al corpo, entrando in acqua diritto e lucente come il primo raggio di sole.

Stella Maris aprì il registro e Tomàs riconobbe la fotografia della sua festa di compleanno. Le guance gonfiate a mongolfiera soffiavano sulla candelina di una torta di cioccolato. Accanto all'immagine era rimasto lo scarabocchio scritto con grafia da gallina: *durata del soggiorno da definire*.

« Il mio soggiorno finisce qui? » s'informò con distacco.

Dinanzi a lui riconobbe la sagoma del Direttore. Il camice bianco gli conferiva un aspetto rassicurante, solo in parte smentito dal medaglione d'argento che oscillava sul suo petto come un pendolo.

Il medico porse al paziente uno specchio color tenebra. Tomàs non ebbe difficoltà a riconoscersi: le occhiaie scavate, le guance rotonde, i capelli arruffati. Poi la sua immagine sparì e al centro dello specchio comparve una donna seduta su un trono.

I contorni erano nitidi e poteva intravedere il serpente che le cingeva il capo come una corona. Aveva la fronte a uovo, le gote glabre e un collo da cigno avvitato al seno prosperoso di una matrona. L'addome gonfio e i fianchi larghi, che una tunica rossa conteneva a fatica, ricalcavano le forme panciute di un'anfora.

Il paziente distolse gli occhi dallo specchio e incrociò quelli del Direttore: due pietre grigio-azzurre che risplendevano nella luce.

« Hai appena visto l'amore. »

« Che fine ha fatto la mia anima? »

« Siete tornati insieme. Non l'hai riconosciuta mentre le toglievi il velo? »

« Quella non era la mia anima. Era Arianna. Impossibile scordare il suo sorriso. »

Il Direttore scosse la testa. Poi si sfilò dal collo il medaglione d'argento e glielo porse.

«Che cosa vedi?»

«Una stella.»

«Nient'altro?»

«Una stella più piccola dentro la stella.»

«E che cosa significa?»

«Non lo so. Sarà un vezzo dell'artigiano che l'ha fabbricata. Un artigiano mediocre, se mi posso permettere.»

«L'ho incisa io. La stella a cinque punte rappresenta l'uomo universale a braccia spalancate. Ne esistono milioni di esemplari più artistici di questo. Li puoi trovare sui muri dei templi, nei libri di storia, sopra le tombe dei re. E tutti vogliono dire la stessa cosa.»

«È uno dei suoi giochi di parole?»

«Sforzati. Le due stelle non sono identiche, ma speculari. Una ha il vertice in alto e l'altra in basso. Che cosa significa?»

«Ogni corpo contiene un'anima.»

«Vai più a fondo.»

«Ogni maschio ha una femmina dentro di sé.»

Stavolta il Direttore annuì con un movimento solenne del capo.

«E ogni femmina un maschio.»

XLIV

Il medico diede una penna a Tomàs perché si esercitasse a tracciare le due stelle su un pezzo di carta. Il risultato furono degli sgorbi incomprensibili.

« Scrivi proprio come una gallina... » Fece una pausa che non prometteva niente di buono. « Qual è il colmo per una gallina? » e il viso gli si dilatò in un'espressione estatica.

« Ricominciamo? »

« Avere tante penne e non saper scrivere... »

Dal suo petto sgorgò una risata omerica che Tomàs giudicò ancora una volta sproporzionata alla modestia della battuta.

« Sai almeno dirmi in che modo nasce la luce? » continuò il Direttore.

« Non è mai stata in cima alla classifica delle mie domande preferite. »

« Dall'incrocio fra positivo e negativo. Tutto nell'Universo è Due, e tutto desidera ritornare Uno: luce e tenebra, bene e male, anima e corpo. È soltanto l'incontro degli opposti che genera l'unità. Immagina i poli di una pila: il maschio ha il segno Più, la femmina il segno Meno. »

Tracciò i simboli + – sul pezzo di carta, prima di continuare.

« In natura ogni Più cerca il suo Meno e ogni Meno il suo Più. Vale per la luce, per tutto. Anche per l'amore. »

« Il maschio cerca la femmina e la femmina il maschio.

Con tutto il rispetto, non mi sembra una scoperta sensazionale. »

« Ascolta. L'anima è femminile – segno Meno – negli uomini come nelle donne. Ma a farti desiderare l'amore non è l'anima e neppure il corpo fisico. »

« E che cosa, allora? »

« L'energia creatrice, che cambia in base al sesso. Nel maschio ha il colore bianco della luna ed è femminile: segno Meno. Ma nella femmina ha il colore rubino del sole ed è maschile: segno Più. Hai capito? »

« Più o meno. »

« La femmina dentro di te desidera fondersi con il maschio che le corrisponde, e che si trova dentro una donna. È questo il gioco eterno dell'amore. »

« Mi sta dicendo che, ogni volta che bacio una donna, sto facendo godere un uomo? »

« Parliamo di energie, Tomàs. L'uomo cerca nella sua donna la risonanza della propria energia femminile. Così come ogni donna cerca nel suo uomo il corrispettivo della propria energia maschile. È questo impulso a procurare la sensazione magica dell'innamoramento. L'amore è una calamita che entra in azione quando il tuo esterno è la copia dell'interno di un'altra persona. Solo incastrandoti con lei ti sentirai completo. »

« A me piacciono le ragazze con gli zigomi alti e le gambe flessuose. La mia parte femminile deve essere uno schianto. »

« È tramite l'incanto della bellezza che si entra nel mondo dello spirito. Ma poi bisogna andare oltre. Altrimenti si finisce per confondere l'amore con il desiderio di possesso. Capitò anche a te con la figlia del notaio. Quando scambiasti per amore immenso la tua immensa paura di perderla. »

« Io la amavo veramente. »

Il Direttore stiracchiò le labbra in una smorfia comprensiva.

« Ti innamori di una persona sbagliata perché ti conferma nell'idea negativa che hai di te. L'amore disperato sembra sempre il più passionale. Ma la persona giusta è soltanto quella che combacia con le tue energie interiori. »

« Ammettiamo che esista questa creatura che combacia a meraviglia con le mie energie interiori. Ma che cosa succede se io non combacio con le sue? Se non sono la copia del maschio che lei ospita dentro di sé? È il dramma di tutti gli amori a senso unico. »

« Se l'incastro non è reciproco, non è lei la tua anima gemella. »

« Ma se non lo è, come mai io ci soffro da morire? »

« Il tuo è un autoinganno. Non conoscendo ancora te stesso, sei attratto dalla creatura sbagliata e ti convinci che sia quella giusta. »

« Mi sembra impossibile far combaciare tutte queste copie. »

« Meno di quanto tu creda e di quanto le donne e gli uomini sperimentino ogni giorno. »

« Allora perché tanti amori svaniscono in fretta o si intorpidiscono nella noia? »

« Le persone cambiano e col tempo non si corrispondono più. Per rimanere insieme bisogna avere la forza e la pazienza di cambiare insieme. L'amore è una creatura. E come ogni creatura deperisce e muore, oppure evolve e si conserva. »

« E se uno avesse già incontrato la sua anima gemella e

non se ne fosse accorto, potrà avere una seconda possibilità? Io ho vissuto con una donna che mi amava, ma ho rovinato tutto. »

« Lo hai detto: la Matematica era una donna che ti amava. E tu l'hai amata per questo. Ma chi ama soltanto chi lo ama è un immaturo. Esattamente come chi ama soltanto chi non lo ama. In entrambi i casi, scappa dall'amore vero perché ancora non ha imparato a conoscerlo dentro di sé. »

« Nella vasca del Sole ho provato a non scappare. Ed è scappata lei. »

« Morena non era la tua anima gemella. »

« Ma io la desideravo. »

« Una persona non diventa giusta solo perché tu la desideri. »

« E allora come si fa a desiderare la persona giusta? »

« Si viene alle Terme dell'Anima per impararlo. » Il Direttore prese il medaglione d'argento e se lo rimise al collo. « Hai compreso adesso perché Arianna e la tua anima hanno lo stesso sorriso? »

« Il sorriso è una delle porte dell'anima e Arianna è la mia... »

« La tua anima gemella, sì. »

« Se solo potessi riavere il suo numero di telefono... »

« Tomàs! »

« I *se* sono la patente dei falliti, lo so. Nella vita si diventa grandi *nonostante*. È che la vita... vorrei riuscire a coglierne il senso. »

« Fra poco ti immergerai nell'ultima vasca, dove godrai del privilegio che spetta agli spiriti che si stanno riposando prima di ricominciare. »

« Quindi sono morto? »

« Hai compreso il tuo talento e ritrovato la tua anima.

Ora, se ne avrai la forza, riuscirai a incontrare anche l'amore. Preparati, è tempo di andare a tavola.»

«Meno male. Da quando sono qui mi avete messo a dieta. Potrei avere un accappatoio più leggero?»

«Non ne hai più bisogno: sei diventato leggero tu.»

Tomàs scese dal lettino di vimini e attraversò lo stanzone fino alla porta senza serrature. Il cartello che all'inizio dell'avventura gli aveva suggerito di uscire dalla testa era scomparso.

«Nel labirinto hai sperimentato quanto sia importante che lo spirito esca dal corpo passando per la testa», disse il Direttore. «È nella testa, infatti, la vibrazione più sottile e potente. Ora che lo sai, il cartello non serve più.»

«E le cartoline delle favole?»

«I personaggi femminili erano la tua anima, che smaniava dal desiderio di ricongiungersi con te.»

Tomàs appoggiò la fronte alla porta e lo stipite cedette senza combattere. Folate di vento autunnale si insinuarono fra le pieghe dell'accappatoio e lo indussero a riparare la nuca sotto il cappuccio. Nell'aria fluttuava uno spirito languido, come se la natura si andasse ritraendo in se stessa per recuperare vigore.

«Dove vai?» intonò un coro di voci alle sue spalle. «L'Agape è qui.»

XLV

Si voltò e vide i Maestri immersi nella vasca fino alla cintola. L'Allenatrice. Il Cantastorie. Il Medico delle Acque. La Massaggiatrice d'Anime. E la Vestale Nera, più eterea che mai. Galleggiavano in cerchio fra i petali di rosa, tenendo un uovo fra le mani. Appena li raggiunse, ne porsero uno anche a lui.

« *L'equinozio d'autunno siamo qui a celebrare, con un pasto che il cuore saprà ben ristorare. Il sole in cielo prepara la discesa e sulla Terra un nuovo ciclo si palesa* », cantò Andrea. Il flauto in sottofondo era la sua voce.

« Mangiate... anche voi? » chiese Tomàs.

« Pensavi fossimo puri spiriti? » rise il Direttore. « Noi abbiamo un talento, proprio come te, e lo usiamo per prestare servizio agli altri. I Maestri migliori non sono necessariamente quelli perfetti, ma quelli che creano allievi. »

A un suo cenno ciascun commensale fece dono del proprio uovo al vicino di destra. Dopo averli spaccati all'unisono contro il bordo della vasca, li portarono alla bocca. Il rito venne ripetuto con il piatto delle olive e poi con tutti gli altri. Ogni portata del pasto fu consumata nel silenzio più assoluto. Alla fine a incresparlo fu Uma.

« Per essere un allievo del primo corso, riconosco che te la sei cavata piuttosto bene. »

« Primo corso? »

« Sette sono i livelli di apprendimento alle Terme. Sette

come i cancelli che hai dovuto attraversare per uscire dal tuo corpo», spiegò Noah.

Tomàs si sentì mancare le gambe e cercò sostegno in Andrea, che stava armeggiando con una bottiglia. Sul suo vassoio non era rimasta neppure una tazza. Solo un libro con la copertina chiara.

«Stavolta niente tisane, ma ottimo vino. Lo sorseggeremo in compagnia di una storia che ti rivelerà il ruolo del destino.»

Dopo che tutti ebbero alzato i calici con la mano sinistra, l'Androgino aprì l'ultimo libro chiaro e incominciò a rac-cantare.

XLVI

IL RAC-CANTO DEL MEZZADRO

Mentre andava al lavoro nei campi
un contadino sentì delle grida
vide un bambino che stava affogando
lo tirò su e gli salvò la vita.

La sera alla porta sentì bussare
ed era il padre del bambino
disse: « Che cosa le posso dare
per mettermi in pari col destino?

Mi han riferito che lei ha un figlio
che per gli studi è molto portato
la prego accetti che io lo mantenga
fin quando non si sarà laureato ».

E così il figlio del contadino
divenne un re della medicina
Alex Fleming era il suo nome
colui che scoprì la penicillina.

Passano i mesi passano gli anni

e il bambino che si era salvato
è diventato un uomo importante
lo hanno già eletto deputato.

Fu allora che prese una polmonite
e si pensò non avesse scampo
ma la scoperta del dottor Fleming
lo riportò alla vita in un lampo.

Quel deputato che era guarito
fu poi il premier della Nazione
si chiamava Winston Churchill
e di Adolf Hitler fermò l'invasione.

Senza saperlo e con un sol gesto
quel miserabile contadino
aveva salvato due volte il mondo
salvando due volte lo stesso bambino.

« È una storia vera come le altre che mi avete rac-cantato? » domandò Tomàs.

« Nessuno può dirlo con certezza », rispose il Direttore. « Esistono versioni discordanti. Eppure tocca il cuore degli uomini. Perché il cuore degli uomini sa che storie come questa accadono ogni giorno, sebbene i personaggi coinvolti non abbiano lo stesso blasone. »

Anche il cuore di Tomàs venne toccato. Per tutta la vita si era sentito sballottare fra eventi che non comprendeva. E aveva conosciuto quel senso di inutilità che pervade gli esseri umani fino a immobilizzarli, come se ogni cosa fosse sfuggita al loro controllo e il cinismo rappresentasse l'unico antidoto allo smarrimento.

Ma ora il rac-canto del Mezzadro gli stava mostrando che le azioni di un individuo producono sempre un risultato da qualche parte. E hanno un senso preciso anche quando chi le compie gliene dà un altro, oppure nessuno, dal momento che non gli è concesso di conoscere l'intero copione.

« Non è un bene vivere. È un bene vivere bene », sentenziò Noah.

Il Medico delle Acque fece girare il cesto del pane. Ciascuno ne prese una fetta e la porse al proprio vicino di destra. Appena ebbero finito di masticarlo, echeggiò il timbro baritonale del Direttore.

« È tempo che tu sappia. »

Tomàs sentì le mani della Massaggiatrice d'Anime sfiorargli le tempie, mentre la voce d'acqua gli versava le parole direttamente nel cuore.

« ... buona visione... piccolino... »

XLVII

Lys usava le tempie di Tomàs come i pulsanti di un proiettore. Schiacciandole con maestria, riavvolse il nastro della sua vita. E quando raggiunse il principio, lasciò che ricominciasse daccapo.

« ... una luce fatta di musica... una biglia sulla spiaggia... »

Commentate dalla voce d'acqua, il paziente vedeva scorrere rapidamente le immagini sullo schermo dei suoi occhi chiusi. Le osservava assorto e divertito, quasi fosse diventato lo spettatore di se stesso. Poi la Massaggiatrice d'Anime ridusse la pressione sulle tempie e il nastro rallentò.

« ... è la notte di Natale... ti sei appena addormentato... tua madre è seduta accanto al letto... chiude un libro con la copertina chiara... ti bacia la fronte e le labbra... sistema meglio le lenzuola... esce dalla camera... sospira... ritorna indietro... una carezza ancora... le manca il fiato... si trascina verso la finestra... la spalanca e si aggrappa al davanzale... ma le sue unghie hanno già lasciato la vita... si spezzano... e lei scivola nel vuoto con la fronte alta e gli arti spalancati... atterra sopra un cumulo di neve... senza né un taglio né un livido... è morta di infarto durante il volo... »

Lys allargò i palmi delle mani fino a sfiorargli le sopracciglia. Il nastro scattò in avanti, ma di poco.

« ... è una mattina fra Natale e Capodanno... la casa piena di persone che ti osservano... soltanto tuo padre non riesce a guardarti negli occhi... 'decidi tu se venire o no...' ti dice... ma tu sei un bambino... non hai difese... dovrai fabbricarti uno scudo da solo... corri a chiuderti nella tua stanza... no... non andrai a nessun funerale...»

La prima scelta era stata la prima fuga. Il momento in cui aveva deciso di rifiutare il dolore. Gli sembrava così ingiusto. La vita lo aveva costretto a porsi subito domande troppo grandi. Perché lui orfano e i suoi compagni di scuola no? Perché un bambino muore di fame e un altro ingrassa negli agi? Perché la salute, la ricchezza, l'intelligenza sono distribuite in modo così parziale? E soprattutto: perché l'amore può esserci tolto all'improvviso? Era troppo smarrito per comprendere che chi rifiuta il dolore rifiuta la compassione e chi rifiuta la compassione rifiuta l'amore per paura che gli venga tolto di nuovo.

La Massaggiatrice d'Anime staccò le mani dalle sue tempie. Il nastro si interruppe e partì uno spezzone intitolato *Se tu fossi andato al funerale.*

«... se tu fossi andato al funerale... avresti costretto tuo padre a sedersi accanto alla migliore amica della mamma... lei col tempo lo avrebbe consolato... intorno al freddo del tuo cuore avrebbero riattizzato il fuoco di una famiglia... saresti cresciuto con più equilibrio... senza cadute rovinose... né riscosse imprevedibili... dopo una laurea tranquilla... avresti cercato un lavoro tranquillo... sposato una collega carina con una cerimonia tranquilla... la tua matrigna... commossa... avrebbe detto... 'peccato che la mamma non sia qui...' e tu sull'altare avresti ripensato a quel funerale lontano... ti saresti chiesto se la tua vita... sarebbe mai potuta essere diversa da come era stata...»

Lys appoggiò di nuovo le mani alle tempie e riavviò il nastro originale.

« ... mentre tutti sono al funerale... tu ti aggiri per la casa vuota... rovisti nei cassetti della mamma... trovi il fazzoletto bianco a pois rossi che le avevi regalato per il suo ultimo compleanno... pensi di strapparlo a morsi... e invece... come se obbedissi a un'ispirazione... ti barrichi nella tua camera e lo sventoli contro la porta chiusa... parlando a voce alta con lei... le racconti di un mondo nel quale tu sei un grande giocatore di pallacanestro... e il figlio di una madre che scoppia di salute... »

Il fazzoletto a pois. Era andato perso in un trasloco, subito dopo la laurea, ma Tomàs non aveva dato importanza alla sua scomparsa.

Lys premette le dita e le tenne ferme: il nastro accelerò.

« ... sei quasi un ragazzo ormai... abiti con zia Tristina... ti chiudi nella tua stanza... estrai il fazzoletto dal cassetto... e ti rifugi nel mondo che dividi con tua mamma... il campione di pallacanestro ha fatto carriera... è diventato un cantante famoso... il fidanzato di tutte le ragazzine della scuola... la zia spalanca la porta... ti sorprende a parlare da solo con un fazzoletto fra le mani... grida che sei matto... minaccia di rinchiuderti insieme con tuo padre... tu ti vergogni e smetti... ma il giorno dopo ricominci... a voce bassa... per non farti sentire... »

Anche se il ricordo gli procurava ancora vergogna, comprese che la sua fuga nel mondo magico del fazzoletto era stata ispirata dall'amore. Stava affinando il suo talento. Lo addestrava a quel tipo di ginnastica mentale che consiste nell'uscire dai propri panni: il primo passo per chi voglia mettersi davvero in quelli degli altri.

Da lì in poi le dita di Lys rimasero pigiate sul tasto dello scorrimento rapido. Il nastro rallentava solo in occasione delle scelte più importanti. Ogni scelta ricordava la prima fuga e ogni fuga era una scelta che lo conduceva in modo inesorabile là dove era necessario che andasse. Gli studi nella scuola sbagliata, la prima volta con la ragazza sbagliata: tutto era giusto e perfetto, perché tutto convergeva verso la sera in cui l'infelicità aveva raggiunto il suo culmine e lo aveva spinto a una conferenza intitolata *Il peggiore dei mondi possibili*.

Era stato lì che aveva conosciuto la donna della sua vita e si era accorto di non averla più, una vita. Solo se ne avesse recuperato il controllo, avrebbe potuto condividerla con lei. Poi era scappato ancora, senza sapere che stavolta non sarebbe stata una fuga, ma una partenza.

«... parcheggi davanti alla spiaggia... raggiungi a piedi nudi il rumore del mare... dai inizio alla tua danza sincopata sull'orlo delle onde... scansi la prima con un balzo laterale... ma la seconda ti spruzza fino ai polpacci... ti passa la voglia di giocare... raggiungi la punta estrema del molo... dove tante volte da ragazzo avevi atteso l'alba... era il tuo ufficio dei sogni... non ci lasciavi entrare nessuno... però adesso l'ufficio è vuoto e l'alba ancora così lontana... un impasto di voci ti costringe a voltarti... delle ombre corrono verso di te...»

A quel punto il nastro si interruppe.

XLVIII

Quando Tomàs riaprì gli occhi, nella vasca dell'Agape non c'era più nessuno.

« Allora, vuoi andare avanti? »

Quasi nessuno: il Direttore gli copriva le spalle. La sua voce vibrava con un'intensità che lui solo era capace di creare.

« Ora che hai visto il senso di tutto, sai che tutto aveva un senso. Faceva parte della missione che dovevi compiere in questa vita. Perciò ti ripeto la domanda: vuoi andare avanti? »

« Avanti verso che cosa? »

« Mi era parso che a condurti fin qui fosse stato il desiderio dell'anima gemella. »

« Ho trovato la mia anima. La gemella arriverà: sempre che mi voglia. »

Non riusciva a scrollarsi di dosso il ricordo dell'ultima telefonata con Arianna e temeva di andare incontro a un rifiuto.

« Non hai trovato ancora niente. Noi abbiamo risvegliato in te le cose che già sapevi. Ma ora dovrai sperimentarle nella dimensione della tua realtà. Poiché sei fatto di materia, è necessario che tu ti esprima nella materia. »

« Per amare dovrò rinascere? »

« E per rinascere dovrai morire », disse il Direttore. « In sanscrito MAR significa quiete. Indica il mare, la madre e la morte. Come ogni altra parola, anch'essa è una gabbia. Eppure esiste una lettera in grado di piegarla. »

« La A », azzardò Tomàs.

« Sì. Inserita davanti alle altre lettere, la A traghetta MAR nel mondo dell'Oltre. Oltre il mare. Oltre la madre. Oltre la morte... AMAR. Immortale, come l'AMORE. »

« E io che credevo di essere morto una volta per tutte. »

« Alle Terme dell'Anima non si è morti e non si è vivi. Si è sospesi. Ma per uscire da qui la morte è un passaggio obbligato. »

« Ho paura. »

« È normale. L'uomo vive la morte come le altre cose della vita: con rassegnazione o paura. Tu butta la rassegnazione e tieniti la paura. Così al momento giusto la trasformerai in coraggio. »

« E se rimanessi alle Terme per sempre? »

« Potresti farlo e all'inizio ti sembrerebbe una scelta saggia. Ma non basti ancora a te stesso come l'Androgino. Per evolvere hai bisogno della tua anima gemella. Se resti qui, non la incontrerai mai e un po' alla volta la sua assenza ti farà seccare il cuore. Finché un giorno ti accorgerai di aver dimenticato tutto di nuovo. »

Il Direttore gli pose una mano sulla spalla.

« Ricorda, qualunque scelta compirai, sarà giusta e perfetta. »

« Come posso andare incontro alla morte senza averne paura? »

« Desiderando l'amore senza avere paura di perderlo. »

Tomàs fece per voltarsi, ma interruppe il gesto a metà.

« Qual è il colmo per un morto? » chiese.

« Essere di poche parole », rispose il Direttore e stavolta non rise nemmeno lui.

La rosa rossa in una mano e il registro rilegato nell'altra, Stella Maris scortò con passi soffici il paziente fuori dal chiostro, lungo un sentiero di foglie secche. Il cielo d'autunno, ripulito dall'afa, andava assumendo quella tonalità blu cobalto che rende ineffabili certe sue notti.

Si fermarono davanti alla vasca del Drago. La piscina era deserta, ma presto nuovi uccelli si sarebbero arenati sulle acque ferme, in attesa che qualche anima risvegliata venisse a destare anche loro.

Il mostro di pietra si sottraeva alla vista, avvolto in un sipario d'acqua scrosciante. La morte è un passaggio, aveva detto il Direttore. Tomàs intuì che lo aspettasse al di là del frastuono.

« Buon viaggio, signore. Mi auguro che la permanenza alle Terme sia stata di suo gradimento », lo salutò la Vestale Nera.

« Credo che mi tratterrò ancora. Vado soltanto a dare un'occhiata. »

« Mi raccomando, si ricordi di prendere tutto », rispose Stella Maris, come se non lo avesse sentito. Ma prima che si calasse nella vasca, gli infilò la rosa rossa sul bavero dell'accappatoio, all'altezza del cuore.

Tomàs avanzò in direzione delle cascate. La determinazione si affievoliva dopo ogni passo, a mano a mano che aumentava il rumore selvaggio dell'acqua e, insieme con esso, la sua riluttanza verso un cambiamento violento e sconosciuto.

Sentì crescere dentro di sé il desiderio di rimanere per sempre quello che era. E comprese che era proprio quel desiderio ad alimentare tutte le paure dell'uomo. Presiedette un lungo dibattito interiore, al termine del quale venne sancito all'unanimità di rinviare ogni decisione a un momento successivo. Avrebbe chiesto ai Maestri delle Terme un supplemento di riposo per ritemprare le forze e prepararsi meglio alla prova finale.

Era talmente soddisfatto della sua risoluzione che si avvicinò alle cascate senza più timore. Voleva compiere un sopralluogo. Altri ne sarebbero seguiti nei giorni a venire, fino a quando non si fosse ritenuto davvero pronto.

Gli parve di sentire, in mezzo al rumore, l'eco inconfondibile di una risata. Ai lati della piscina erano state scavate alcune nicchie. In una di queste galleggiava un uomo con gli occhiali da sole e una smorfia di disgusto appesa alle labbra.

« Polvere! Tu, qui? »

« Sono venuto a fare il tifo. »

« Per me? »

« Per la morte. Vince sempre lei. Si è appena inghiottita la tua amica. »

« Morena! »

« Creatura notevole, benché destinata a diventare un ammasso di rughe e poi uno scheletro sbriciolabile, come tutti. Ma così ingenua! Si è buttata nelle cascate, neanche stesse partendo per una gita. E non è più tornata su. »

Tomàs allungò una mano sulla sua faccia e gli tolse gli occhiali. Vide sgorgare uno sguardo di passione.

« Buttati anche tu, Polvere. La morte esiste solo per i ciechi di cuore. La signora con le mani affondate dentro le scarpe ti aspetta nella tua baracca per poter guarire accanto a te. »

« Ma chi vuoi che mi aspetti, ingenuo? Non mi aspetto più nemmeno io. »

« Pensi che siano sempre gli altri, gli ingenui... Anch'io lo pensavo. Ma adesso ho capito che i veri ingenui eravamo noi. Perché la presunta saggezza dei cinici ignora il potere più forte: quello delle illusioni. »

« La morte non è un'illusione, amico, ma una certezza. L'unica. Esci dal mondo delle favole e vai incontro alla realtà. »

« L'amore *è* la realtà. »

« Allora dimostramelo », e si risistemò gli occhiali da sole sul naso.

Tomàs capì che Polvere non andava persuaso, ma aiutato a comprendere. Come i fenicotteri, anche lui avrebbe potuto essere risvegliato soltanto con l'esempio.

Annusò la rosa rossa che la vestale gli aveva appuntato sul cuore: il profumo lo investì con un'ondata di coraggio. Girò le spalle al compagno e proseguì da solo verso le cascate. Se la personalità era una serie ininterrotta di gesti riusciti, per la prima volta ebbe la sensazione di possederne una anche lui.

Di fronte all'acqua, immaginò il sorriso di Arianna e gli venne un desiderio così lancinante di amare che non ebbe più paura di morire. Fece scivolare ai suoi piedi l'accappatoio e lo pestò. Quindi diede inizio al conto alla rovescia più ardimentoso del mondo.

« Meno tre... qualunque scelta compirò, sarà giusta e perfetta... Meno due... uscirò dalla testa senza paura di perdere l'anima che ho appena ritrovato... Meno uno... prima di andarmene devo ricordarmi di prendere tutto... »

Rintanato nella sua nicchia, Polvere vide Tomàs lanciarsi di testa fra gli scrosci e scomparire con un balzo elegante oltre il sipario. Per qualche minuto non fece nulla. Poi si tolse gli occhiali da sole e li scaraventò in acqua.

Ai bordi della piscina, la Vestale Nera chiuse il registro

e mise un segno sullo scarabocchio accanto alla fotografia della torta di compleanno: *durata del soggiorno da definire.*

La frase non si riferiva al soggiorno dell'ospite presso le Terme, ma alla sua permanenza nella dimensione che gli uomini chiamano Vita. E a scriverla era stata la mano di Tomàs all'inizio dell'esperienza terrena, quando la sua anima aveva scelto di tuffarsi dentro di lui.

Strano che il paziente non se ne fosse accorto, pensò Stella Maris. Avrebbe dovuto riconoscere la sua grafia da gallina.

EPILOGO

Dove Tomàs incontra una persona da cui era scappato, mentre la lettura di una rivista si rivela gravida di sorprese.

XLIX

Il primo pensiero gli sembrò giusto e perfetto. Sarebbe riuscito a farsi cullare dalla voce di Arianna, nonostante avesse perso la banconota con il suo numero di telefono.

Era immerso nell'acqua salata, ma non sentiva freddo. Solo il peso del suo corpo e la leggerezza di ogni altra cosa. Riconobbe l'odore del mare, le vibrazioni della luce. Appena le forze ricominciarono ad animarlo venne invaso da una sensazione di meraviglia e risalì lentamente verso la superficie. Non aveva mai amato la vita, gli incuteva troppa paura. Eppure in quel momento la sentì come una complice che lo avrebbe aiutato a risanare tutte le ferite.

Raggiunse a nuoto la punta estrema del molo, dove tante volte da ragazzo aveva atteso l'alba. Stavolta non avrebbe dovuto aspettare troppo. Il sole già cresceva all'orizzonte e si preparava a fare staffetta con la luna.

Ritrovò i vestiti e gli spiccioli che aveva lasciato cadere al momento della colluttazione con il suo assalitore. Una rosa rossa era rimasta impigliata chissà come al bavero del giubbotto, ma gli bastò annusarne il profumo per ricordarsi tutto. Il primo tuffo nell'acqua ghiacciata e l'ultimo, attraverso le cascate.

Scese sulla spiaggia della sua infanzia e diede inizio a una danza sincopata sull'orlo delle onde. Scansò la prima con un balzo laterale, poi la seconda e la terza: senza bagnarsi mai i piedi. Quando si sentì completamente vivo, recuperò la macchina nel parcheggio e imboccò la litoranea deserta. I fanali illuminarono la sagoma di un uomo che si sbracciava sul ciglio della strada. Pensò fosse un pescatore, un nottambulo, un mattiniero, comunque un essere umano: la sua razza. Lo caricò.

« Non immagini che notte ho avuto! » esordì il passeggero, che si chiamava Gabriel e aveva un bisogno disperato di sfogarsi. « La mia ex ragazza mi ha piantato in asso sul lungomare, dopo avermi detto che fra noi era finita per sempre. Ho provato a fare l'autostop, ma non si è fermato nessuno. Solo una banda di balordi, che mi ha inseguito fino alla punta del molo. C'era un uomo, lì. Io gli sono andato incontro e mi sono aggrappato a lui, chiedendogli aiuto. »

« Te l'ha dato? »

« Macché. Mi ha gridato qualcosa che non ho capito e si è buttato in acqua. I balordi hanno pensato che lo avessi spinto io e sono scappati senza derubarmi. In fondo dovrei essere grato a quel vigliacco. »

« Forse è lui che dovrebbe esserti grato. »

« Era alto più o meno come te. Molto diverso, però: aveva gli occhi fuori dalle orbite e il volto trasfigurato in una maschera di spavento... E tu, che notte hai avuto? »

« Non hanno rubato niente neanche a me. Anzi, ho ritrovato un po' delle cose che avevo perduto. »

« Io invece ho perso l'unica a cui tenevo davvero. Non stavamo più insieme da mesi, ma sai come funziona: finché uno dei due non si innamora di qualcun altro, ti illudi sempre che possa ricominciare. Ieri sera mi sono giocato le ultime carte e l'ho portata sul lungomare dove ci eravamo scambiati il nostro primo bacio. »

« E lei è venuta? Buon segno. »

« Non per me. Appena ho provato a toccarla, si è sciolta dall'abbraccio. Ha detto che non vuole prendermi in giro.

Ha conosciuto un altro uomo e, per la prima volta da quando ci siamo lasciati, si sente coinvolta. Lui la tiene radicata alla terra e al tempo stesso la fa volare. Mi ha assicurato che con questo tipo non è ancora successo niente. Che si sono visti soltanto una sera, di sfuggita. Ma può abbandonarmi come un sacco di spazzatura per inseguire uno che ha visto soltanto una sera, di sfuggita? »

« Glielo hai chiesto? »

« Mi ha risposto che io sono un ponte fra le due sponde della sua vita e non si può rimanere tutta la vita su un ponte. Che è il momento di girare pagina per entrambi e che mi vorrà sempre bene perché ci siamo fatti del bene. »

« Tu hai difeso la sconfitta? »

« Non avevo più niente da difendere. Così le ho urlato di andarsene. Lei mi ha dato una carezza, poi è saltata in macchina ed è ripartita sgommando. Capisci? La fa volare, quello! Invece io mi sento a terra, spiaccicato come una lucertola. »

« Non sottovaluterei la capacità di recupero delle lucertole. »

Restò ad ascoltarlo fin quando non raggiunsero lo spiazzo di un bar, dove i suoi amici sarebbero venuti a riprenderlo. Era lo stesso bar in cui Tomàs aveva mangiato la sera prima.

« Mi ha fatto bene parlare con te. Ti ringrazio per i tuoi consigli », si congedò Gabriel.

« Sono contento di esserti stato utile », rispose Tomàs, che per l'intero tragitto non aveva quasi aperto bocca.

« E tu, sei fidanzato? »

« Sì, da pochissimo. Con la mia anima. »

« Ho capito, stai messo peggio di me. Ti auguro di trovare una donna simile a quella che ho perduto io. »

« Ciascuno ha la sua. »

« Lo so. Ma per me non sarà facile incontrare un'altra come Arianna », sospirò Gabriel, scomparendo oltre la portiera.

Tomàs rimase immobile, la testa appoggiata contro il volante. Da quante Arianna era abitato il mondo? Avrebbe almeno potuto chiedergli se la sua aveva gli zigomi alti e i capelli corvini.

Scese dalla macchina per colmare la lacuna, ma fece solo in tempo a vedere Gabriel che si allontanava sull'automobile degli amici. Allora entrò nel bar e chiese alla cassiera se poteva mostrargli tutti i biglietti di piccolo taglio che aveva incassato la sera prima, perché sopra uno di essi c'era il numero di telefono della sua anima gemella. Forse aveva esagerato con il linguaggio della sincerità, perché la donna minacciò di chiamare la polizia e anche un'ambulanza.

Nel tentativo di placarla, afferrò una rivista dalla rastrelliera accanto al bancone e la acquistò con gli spiccioli che aveva in tasca: erano il resto della banconota. Solo all'uscita si accorse che sulla copertina campeggiavano due labbra a forma di cuore.

La Figlia del Pescecane si confessa: « Se tornassi indietro, rifarei tutto », strillava Morena dal titolo dell'intervista. Finalmente Tomàs fu d'accordo con lei.

Risalì in macchina e accese la radio per raffreddare i suoi pensieri. Il notiziario del mattino raccontava che la diva della televisione caduta misteriosamente fra le onde durante una crociera coi fan era stata ripescata all'alba da una scialuppa e adesso stava bene. Nessuna notizia del surfista inghiottito dai cavalloni. Il suo corpo non era stato ancora ritrovato.

L

Tomàs si inerpicò sulla collina che sovrastava la città e raggiunse il piccolo cimitero sdraiato al sole. Per anni zia Tristina lo aveva trascinato a forza lassù. Non c'era più tornato, però ricordava ancora la strada.

Risalì a piedi un viale di lapidi e sostò davanti alle foto affiancate di suo padre e di sua madre. Per la prima volta si accorse che avevano lo stesso sorriso.

« Andrò a lavorare nell'albergo del vostro amore », disse coniugando i verbi al futuro. « Credo che un po' alla volta aggiungerò qualche vasca per le terme e il bagno turco. Una palestra, se necessario. E dividerò la biblioteca a metà fra libri chiari e libri scuri. Anche se di chiari, forse, ne metterò uno in più. Ascolterò i problemi di chi ha perso l'amore e non ha ancora trovato se stesso. Mi metterò nei panni degli altri per aiutarli a ricominciare a vivere. È questa la mia missione. Tutto è giusto e perfetto. »

Prese un vaso da fiori e lo riempì a una fontana poco distante. Ma nel piegarsi per eseguire l'operazione, dentro lo specchio d'acqua vide riflesso il suo sorriso. Era un sorriso serio che faceva poco uso delle labbra, ma strizzava le palpebre fino a ridurre gli occhi a due raggi di luce.

Si tolse la rosa rossa dal bavero del giubbotto e la sistemò nel vaso. Poi si sedette sul bordo della lapide.

« Ho finito di leggere la favola, mamma », disse.

Non c'era bisogno di aggiungere altro. Il silenzio è il

linguaggio degli dei, ma ogni tanto fa bene anche agli uomini.

Per rallentare le emozioni aprì la rivista che teneva arrotolata in tasca. Voleva distrarsi con l'intervista di Morena e invece si imbatté nella rubrica delle fiabe.

Gli venne l'impulso di girare pagina, ma si trattenne. Continuava a pensare ad Arianna. Non aveva idea di come avrebbe fatto a ritrovarla, ma la Voce Che Parlava Dentro lo rassicurò. Ci sarebbe riuscito presto.

Sì, molto presto.

C'era una volta – e c'è ancora – una giovane filosofa che scriveva filastrocche su questa rivista e le firmava con il nome di un angelo. La ragazza aveva un sogno, ma continuava a perdersi dietro amori ingannevoli. Finché fece finalmente pace con la sua anima e fu pronta a girare pagina per approdare all'ultima riga delle favole.

L'istinto la guidò a una conferenza che non c'entrava niente con il suo sogno. Ma chi incomincia a cercare ciò che ama finirà sempre per amare ciò che trova. All'uscita si sentì tirare la manica del vestito. Vide un maschio, un concentrato di occhiaie e capelli arruffati, e fu come se un maschio pieno di occhiaie e capelli arruffati si fosse ridestato all'improvviso dentro di lei.

Quando lui le chiese quale fosse il suo sogno, la ragazza rispose con il linguaggio della sincerità: l'anima gemella. Non riusciva a capacitarsi di aver rivelato il suo segreto più intimo a uno sconosciuto. Ma poi si accorse che le stava succedendo qualcosa di nuovo. Si sentiva radicata alla terra e al tempo stesso le sembrava di volare. Persa nel blu.

Lettrice o lettore, non ti crucciare: prima o poi – e più prima che poi – sentirai in sogno una voce di flauto.

«Ora che l'anima hai imparato ad amare, trova la gemella e mettetevi a volare.»

«Trovare la mia anima gemella! E come si fa?»

«Per perderti nel blu, gira pagina anche tu...»

Mihael

«Se è uno scherzo, giuro che non leggerò mai più una favola», disse il protagonista di questa storia.
E girò pagina.

Fra le foto dei collaboratori della rivista, accanto al nome Mihael, spiccava il sorriso serio di una ragazza con gli zigomi alti e i capelli corvini.

La riconobbe subito. Era la sua anima.

« Quando ridurrete il maschio
e la femmina a un unico essere,
così che il maschio non sia solo maschio
e la femmina non solo femmina,
allora avrete trovato l'entrata del Regno. »

Vangelo di Tommaso, 22

Fine del primo corso

AMOR ET GRATITUDO

Questo romanzo deve tutto a Elisa Galletta, che mi ha condotto alla scoperta di mondi che lei già conosceva, ma non poteva più abitare senza di me.

Deve tantissimo agli insegnamenti di Alfredo Di Prinzio, Maestro dalla spiritualità intensa e operativa.

Deve molto agli aforismi di fratel Enrico, insegnante indimenticabile di greco, latino e vita.

Deve molto anche alle lettere arrivate in questi anni alla rubrica Cuori allo specchio.

Deve parecchio ai consigli e alla dedizione di chi lo ha aiutato a crescere: Luigi Brioschi, Federica Chiarmetta, Italo Cossavella, Guglielmo Cutolo, Gabriele Ferraris, Marisa Fiussello, Valentina Fortichiari, Cristina Foschini, Manuela La Ferla, Anna Laura Mantovani, Stefano Mauri, Francesca Papasergi, Paolo Sbuttoni e Alessia Ugolotti, in affettuoso ordine alfabetico.

Deve ben più di qualcosa alle illustrazioni di Paolo d'Altan e alle canzoni di Fabrizio De André (1940-1999). I racconti del Cantastorie seguono la musica di Bocca di Rosa *(Nicole),* La canzone di Marinella *(Il Tedesco),* Il Pescatore *(Salvatore) e ancora* Bocca di Rosa *(Il Mezzadro). Se qualcuno volesse tornare a leggerli, potrà azzardare il karaoke.*

INDICE

Il nuovo romanzo di

Massimo Gramellini

Fai bei sogni

«Preferiamo ignorarla, la verità. Per non soffrire. Per non guarire. Perché altrimenti diventeremmo quello che abbiamo paura di essere: completamente vivi.»

Fai bei sogni è un romanzo sulla verità e sulla paura di conoscerla, una storia che ci insegna ad accettare la sofferenza e a buttarci alle spalle la sfiducia e la paura che limitano la nostra vita.

Fai bei sogni è la storia di un segreto celato in una busta per quarant'anni.

Fai bei sogni è la storia di un bambino, e poi di un adulto, che imparerà a superare il più grande dei dolori: la perdita della mamma.

È il racconto di una crescita, di una vita senza l'appiglio più solido: vicende a volte drammatiche, a volte ironiche e divertenti, che racchiudono il senso profondo di una lotta incessante contro la solitudine, l'inadeguatezza e il senso di abbandono. Fino alla conquista di un amore e di una vita piena e autentica.

www.tealibri.it

Visitando il sito internet della TEA potrai:

- **Scoprire subito le novità dei tuoi autori e dei tuoi generi preferiti**
- **Esplorare il catalogo on-line trovando descrizioni complete per ogni titolo**
- **Fare ricerche nel catalogo per argomento, genere, ambientazione, personaggi... e trovare il libro che fa per te**
- **Conoscere i tuoi prossimi autori preferiti**
- **Votare i libri che ti sono piaciuti di più**
- **Segnalare agli amici i libri che ti hanno colpito**
- **E molto altro ancora...**

Massimo Gramellini
Cuori allo specchio

Questo libro nasce dall'esigenza di mettere un po' di ordine in ciò che ordine non ha: l'amore. Lo fa con l'aiuto di tanti: dei lettori, innamorati e non, che da dieci anni raccontano le loro storie alla rubrica «Cuori allo specchio», e della persona che pur essendo un uomo – peggio, un giornalista – ha provato a dare a quelle storie una risposta, dapprima timidamente e poi con un coinvolgimento sempre maggiore.
Attraverso le voci degli amici di carta dai quattordici agli ottant'anni che risuonano in queste pagine, ciascuno di noi avrà la possibilità d'immergersi in un'avventura davvero unica: vivere insieme ai protagonisti le situazioni sentimentali più comuni e più varie, specchiandosi nelle esperienze degli altri per trovare una soluzione ai propri problemi. E accorgersi, magari, di custodirla già dentro di sé.

Massimo Gramellini
Ci salveranno gli ingenui

Molti già lo sanno: per affrontare la giornata non c'è niente di meglio che un buon caffè e il «Buongiorno» di Massimo Gramellini. Per i pochi altri, ancora ignari, questo libro rappresenta un'occasione unica per scoprire i corsivi che una delle più acute brillanti firme del giornalismo italiano pubblica ogni giorno sulla prima pagina de «La Stampa». La vita di tutti i giorni scorre in questo libro, i fatti piccoli e quelli grandi, i suoi protagonisti e i comprimari, le brutture e le speranze, i buoni e i cattivi, e per tutto Gramellini ha sempre la parola giusta – misurata, graffiante, ispirata, dura, ammirata, mai gratuita. In queste pagine ci siamo tutti noi ed è difficile non riconoscersi; difficile non ridere, appassionarsi, indignarsi persino. E ancora più difficile non raccogliere, alla fine, l'indicazione di Gramellini: per essere felici, o almeno per provare a esserlo, torniamo ad agire con la spontaneità degli ingenui; ricominciamo a credere che i miracoli possono ancora accadere, ma smettiamo di aspettare che vengano da fuori di noi.

Finito di stampare nel mese di aprile 2012
per conto della TEA S.p.A.
dal Nuovo Istituto Italiano d'Arti Grafiche - Bergamo
Printed in Italy